NANCY DREW
LA CHICA DETECTIVE
Una carrera contrarreloj

Carolyn Keene

NANCY DREW
LA CHICA DETECTIVE
Una carrera contrarreloj

Traducción de Helena Martí

MOLINO

Título original: *Nancy Drew: Girl Detective. A Race Against Time.*
Publicado por acuerdo con Aladdin Paperbacks, un sello editorial de Simon
& Schuster Children's Publishing Division, Nueva York.

Publicado originalmente por Aladdin Paperbacks en marzo de 2004.

© Simon & Schuster, Inc., 2004
© de la traducción, Elena Martí, 2007
© de esta edición, RBA Libros, S.A., 2007
Santa Perpètua, 10-12. 08012 Barcelona
www.rbalibros.com / rba-libros@rba.es

Primera edición: septiembre 2007.

Realización editorial: Bonalletra Alcompas, S.L.
Diseño de cubierta: Opalworks
Compaginación: David Anglès

Nancy Drew: Girl Detective es una marca registrada de Simon & Schuster Inc.

Ref.: MOSL069
ISBN: 978-84-7901-481-0
Depósito legal: B-36572-2007
Impreso por Novagràfik (Barcelona)

ÍNDICE

LA CARRERA ESTÁ EN PELIGRO

—Esto es gordo, Nancy, muy gordo. El tipo que me lo contó está enterado de todo.

Estuve a punto de lanzarme al cuello de Charlie y de arrancarle las palabras con mis propias manos. A veces intentar obtener información de Charlie es como intentar sacar al gato de debajo de la cama para llevarlo al veterinario.

—Está bien —dije en voz baja— ¿Qué ha ocurrido?

Aguanté la respiración esperando la respuesta de Charlie, y mientras tanto noté que mis mejillas estaban enrojeciendo.

—Se trata del dinero —dijo Charlie finalmente—. De los donativos para la carrera benéfica «En bici por solidaridad».

Entonces Charlie sacudió la cabeza y sus ojos se abrieron como platos.

—¿Qué ha pasado con el dinero? —pregunté con impaciencia, aunque intuía cuál sería la respuesta.

—Que ha desaparecido —comentó—. Ha desaparecido todo.

I

ABANDONADO EN EL ARROYO

Mi nombre es Nancy Drew, y mi lema siempre ha sido: si participas en el juego, que sea para ganar.

Eso no significa necesariamente que sea una persona ferozmente competitiva. Significa que, cuando me comprometo, *siempre* cumplo mi palabra.

Desgraciadamente, no siempre es fácil. Me he dado cuenta de que a veces una máxima sustituye a otra. Y eso es exactamente lo que pasó durante la carrera benéfica de River Heights «En bici por solidaridad» el pasado fin de semana.

Soy una detective aficionada, así que otra de mis reglas de oro es: ante todo, resolver el caso. Por eso, aunque yo era la esprínter de mi equipo y mi obligación era que llegásemos los primeros a la meta... Un momento, creo que me estoy precipitando un poco. Me pasa siempre que algo me apasiona. Rebobinaré y comenzaré por el principio, cuando empezaron los problemas.

Vivo en River Heights, un pequeño pueblo de la región central de Estados Unidos, a orillas del río Muskoka. A primera vista parece uno de esos pueblos aletargados donde nunca pasa nada y la gente se pasa las tardes de verano meciéndose en la hamaca de su porche, bebiendo limonada y acariciando al perro. Sin embargo, River Heights es un pueblo estupendo, lleno de gente interesante.

Año tras año, la carrera benéfica «En bici por solidaridad» logra reunir una gran cantidad de dinero para la Fundación Abre tu Corazón, que se encarga de ayudar a aquellos vecinos que no consiguen llegar a fin de mes. De un modo u otro, el pueblo entero participa en la carrera, y ésta se ha convertido en un gran acontecimiento que dura todo un fin de semana.

Este año mi equipo lo han formado mis dos mejores amigas, Bess Marvin y George Fayne, y mi novio, Ned Nickerson.

La noche antes de la carrera, los seis equipos participantes estaban invitados a la gran comilona que se celebraba en el centro de convenciones del pueblo. Mi equipo y yo nos presentamos puntuales a la cita.

Me puse mi camiseta de la suerte, que originariamente era de color azul cielo, uno de mis colores favoritos. Bess me ayudó a escogerla hace años. Dijo que hacía juego con mis ojos y que combinaba bien con mi pelo, que es de un color bastante inusual, entre rubio y pelirrojo. A mí ese tipo de cosas no me interesan demasiado, pero a Bess sí. Además, esa camiseta me gusta porque es como los tejanos, cuanto más los llevas, más suaves se vuelven. Vestir con estilo es importante, por supuesto, pero lo que yo quiero sobre todo es comodidad.

Pues bien, la cuestión es que al cabo de los años he llevado esa camiseta en varias competiciones, y siempre me ha dado suerte. Así que, para no romper la tradición, o la superstición, también me la puse ese día para asistir a la comilona, aunque estuviera un poco gastada y desteñida.

En realidad, no fuimos sólo por la pasta, las ensaladas y la fruta. También debíamos recoger un dossier informativo sobre la carrera y entregar nuestros donativos, además de que queríamos ver qué tal estaba el ambiente de la competición.

Todos los equipos habían pedido a sus familiares, amigos, vecinos y conocidos, e incluso a gente de fuera del pueblo, que donaran dinero para apoyarles en sus esfuerzos por ganar la carrera. Los colaboradores se comprometían a ofrecer dinero por cada kilómetro recorrido por su equipo, y a dar dinero extra si éste además llegaba en primer, segundo o tercer puesto.

George, Bess y yo nos presentamos juntas en el centro de convenciones. Nos sentamos en una mesa larga y empezamos a comer espaguetis. Ned todavía no había llegado.

—Este año he recaudado más dinero que el año pasado —dijo Bess, mostrándonos a George y a mí el contenido de su sobre.

Lo cierto es que a Bess le resulta fácil conseguir donativos. Su pelo es rubio y ondulado y tiene unos enormes ojos azules con unas pestañas larguísimas, los dientes blancos y alineados y una nariz perfecta. Es una de esas chicas cuya belleza natural despierta mucha envidia entre algunas personas; pero es tan agradable y tan *real* que casi todo el mundo se vuelve loco por ella. Y los que no lo hacen, simplemente es que aún no la conocen bien.

—Por lo que he oído —dijo George—, la gente ha sido muy generosa este año. Se ve que esta edición de «En bici por solidaridad» ha establecido un nuevo récord en recaudación de fondos.

En realidad George se llama Georgia, aunque a ella le gusta mucho más su apodo. Ella y Bess son primas, pero no se parecen en nada. Tienen muy poco en común, aparte de mí, claro está. George tiene el pelo y los ojos oscuros, y es mucho más alta y delgada que Bess. George es la atleta y Bess es la animadora. Por eso George será nuestra ciclista estrella en la competición y Bess conducirá el coche escoba.

—¿Dónde está Ned? —preguntó Bess, echando un vistazo a su reloj—. Todavía está en la universidad, ¿verdad?

—Tenía una clase especial, pero me comentó que a estas horas ya habría terminado —le respondí—. Seguramente aparecerá de un momento a otro. No se perdería esta comilona de pasta por nada del mundo.

—¿Estás segura? —dijo George—. Parece una locura, pero a veces pienso que le gusta más leer que comer. Cuando está leyendo un libro se queda totalmente absorto, es como si estuviera en otro mundo.

George tenía razón y, a decir verdad, yo estaba un poco enfadada con Ned. Le había recordado un par de veces que se asegurara de llegar a tiempo para la comilona. Para mí era muy importante que todos los miembros del equipo nos reuniésemos la víspera de la carrera para repasar nuestra estrategia por última vez.

—Nancy, ¿te había dicho que toda mi familia estará aquí mañana por la mañana para ver la salida de la carrera? —me dijo Bess—. ¿Y qué hay de tu padre? ¿Llegará a tiempo para venir a verte? —me preguntó luego.

—No, desgraciadamente no podrá presenciar la salida —contesté—. No llegará a River Heights hasta mañana por la noche. Pero estará aquí para ver el final, por supuesto.

Mi padre se llama Carson Drew y es el mejor abogado de River Heights, sin ninguna duda. Mi madre murió cuando yo tenía tres años, y a veces ha sido duro para mí sobrellevarlo. Por suerte mi padre siempre ha estado a mi lado y puedo contar con él para todo. La semana antes de la carrera estuvo en la capital del estado trabajando en un caso muy importante. De todas maneras, me prometió que llegaría a tiempo para verme cruzar la línea de meta, y él siempre cumple sus promesas.

—¿La furgoneta ya está cargada? —le preguntó George a Bess, dispuesta a engullir la inmensa cantidad de espaguetis que había ido enroscando en su tenedor.

—Totalmente —respondió Bess, tomando un sorbo de zumo—. Tenemos todo lo necesario para la acampada: comida, material para el mantenimiento de las bicicletas y toda clase de repuestos. Incluso he cargado tu otra bici, George. Y también he cogido un par de culotes de más, y camisetas de sobra con los colores de nuestro equipo. No nos irá mal tener ropa de recambio a mano, sólo por si acaso.

—Chicas, ¡estoy tan entusiasmada con el GPS! —exclamó George al leer el folleto informativo de la carrera—. Me encanta este sistema de seguimiento. Y aquí dice que los organizadores de la carrera los tendrán controlados y bajo llave hasta el final de la carrera, para que nadie pueda llevárselos ni activarlos. Y además no se pueden modificar. Un amigo mío me enseñó uno el otro día, y os aseguro que ni siquiera yo puedo entender ese aparato, al menos de momento.

George es el genio electrónico de la familia. No sólo es un crack de la informática y un as a la hora de conseguirme información por internet, sino que además es capaz de transformar cualquier aparato electrónico en la más práctica de las herramientas.

—El GPS sirve para asegurar que ningún equipo se salta las normas, ¿verdad? —preguntó Bess.

—Así es —le contesté—. Todos los equipos participantes deben recorrer el mismo trayecto. Y están obligados a parar, comer y acampar durante los mismos periodos de tiempo. El GPS garantiza que nadie hace trampa.

—Hablando de hacer trampa —susurró George—, ahí viene la tramposa número uno, a las diez en punto.

—Bueno, bueno... Mirad quién está aquí: ¡la famosa Nancy Drew!

No me hizo falta levantar la vista para saber que se trataba de Deirdre. Conozco esa voz de quejica desde que hacía primero en la escuela.

—Buenas noches, Deirdre —dije, levantando finalmente la vista—. Vi tu nombre en la lista. ¿Con quién formas equipo?

—Con Evan y Thad Jensen— respondió—. Malcom Price conducirá nuestra furgoneta.

Los nombres me resultaban familiares, pero en realidad no conocía a ninguno de ellos. De todos modos, era típico de ella rodearse exclusivamente de chicos.

Deirdre echó una ojeada a nuestra mesa y entonces dijo:

—Veo que a tu equipo le falta un corredor... ¿Dónde está Ned? ¿No debería estar aquí con vosotras? ¡No me digáis que os ha dado plantón! ¿No tenía clase esta tarde? Quizá decidió quedarse en la universidad.

Deirdre es una de esas chicas que suelen caer mal, sobre todo porque parece hacer un esfuerzo especial por ser lo más detestable posible. Físicamente es muy atractiva; su belleza tiene un aire a lo Cruella de Ville: pelo negro azabache, ojos verdes y la piel muy blanca. Sin embargo, es una persona de un egocentrismo recalcitrante. Cree que el mundo entero gira a su alrededor, o que al menos debería hacerlo.

Ignoré el comentario burlón que hizo sobre Ned. Siempre le ha gustado y todo el mundo lo sabe, aunque, francamente, yo no la considero una rival en ese sentido. Además, como dice mi padre: «Los Drew siempre pueden con los Shannon».

El padre de Deirdre también es un abogado de éxito, pero cuando él y mi padre se enfrentan ante los tribunales, es mi padre quien suele ganar. Y yo intento continuar con la tradición.

—Ned está bien —repuse—. Gracias por preguntar, de todos modos.

Le dediqué una mirada de lo más dulce y afectuosa. Con los años me he dado cuenta de que la mejor manera de tratar con ella es desconcertarla. Y para conseguirlo, simplemente hay que hacer lo contrario de lo que ella espera. Una amplia sonrisa es la respuesta *ideal* cuando lo que ella intenta es fastidiarme.

—Mi padre me ha regalado una bici nueva para la carrera de este año. Es la mejor que hay en el mercado —afirmó orgullosa. Cuando cambia de tema así, bruscamente, sé que le he ganado un pulso.

15

—¿Ah, sí? —le dije, aún con la sonrisa en la cara.

—Tiene de todo —continuó—. Es italiana, y está fabricada con la misma aleación que los aviones caza con motor a reacción. El cuadro está hecho a medida, tiene cuarenta y cinco velocidades, pedal automático, sillín con gel, barras de descanso y rayos de titanio. Ha costado más de cinco mil dólares.

—¡Qué maravilla, DeDe! —exclamó George, levantándose de su silla—. Ya nos veremos en la línea de llegada. Te estaremos esperando allí.

Después de decir eso, George se marchó y se dirigió a la cola de la comida. En aquel momento las pálidas mejillas de Deirdre se sonrojaron; no soportaba que la llamasen por su apodo del colegio.

—Eso ya lo veremos, *Georgia*. El contraataque de Deirdre fue bastante inofensivo, pero yo sabía que a George le había afectado porque odia su nombre de verdad.

—Tú no vas a participar, ¿verdad, Bess? —preguntó ahora Deirdre, utilizando su lengua viperina contra una nueva víctima—. Apuesto a que conducirás la furgo...

Biiiiip... Brrrrr. El irritante sonido del micrófono interrumpió el irritante sonido de la voz de Deirdre.

«Damas y caballeros... damas y caballeros... tomen asiento, por favor.»

Uno de los organizadores de la carrera, Ralph Holman, empezó a hablar desde la gran tribuna situada en una esquina de la sala. En aquel momento Deirdre se marchó definitivamente y se reunió con su equipo en una de las mesas de la entrada.

—Es fantástico volver a veros a todos un año más —dijo el señor Holman—. Los expertos han pronosticado un tiempo estupendo para este fin de semana, así que... ¡a pasarlo bien y a batir unos cuantos récords! Como ya sabéis, esta competición está patrocinada por la Fundación Mahoney, y los beneficios que se obtengan se destinarán a la asociación Abre tu Corazón. Además, el ganador recibirá el trofeo directamente de manos de la señora Mahoney.

Una gran ovación recorrió la sala y la mayoría de los asistentes se puso de pie para mostrar sus respetos a la señora de Cornelius Mahoney. Su marido era el único descendiente de Ethan Mahoney, uno de los primeros colonos que hubo aquí en el siglo XIX. Cuando Ethan se dio cuenta de que se había asentado en la cima de un enorme filón de mineral de hierro, fundó la empresa Yunque Mahoney. Aquello fue un acierto total y absoluto. Hoy, más de un siglo después, la señora Mahoney dirige la Fundación Mahoney, valorada en millones de dólares.

Los aplausos y las ovaciones cesaron y todos los asistentes se sentaron de nuevo. Justo entonces, George volvió a nuestra mesa con otro plato de comida enorme.

—¿Ned no ha llegado todavía? —murmuró mirando alrededor—. ¿No crees que deberíamos llamarle?

George acababa de leerme el pensamiento. De hecho, yo ya tenía el móvil en la mano y estaba a punto de marcar su número. Ya no estaba enfadada con él, sino que empezaba a estar preocupada. Ned puede ser muy despistado a veces, pero nunca se perdería algo importante de manera intencionada. Al menos, no sin avisarme antes.

El teléfono sonó varias veces y al final saltó el buzón de voz: «Hola Ned», dije suavemente, «estamos todas aquí, hartándonos de pasta y te echamos de menos. Por favor, llámame al móvil, ¿vale?».

Cambié el modo de mi móvil de sonido a vibración y lo apreté con fuerza cuando la señora Mahoney cogió el micrófono.

—Buenas noches a todos —dijo con un tono de voz algo agudo, pero a la vez muy contundente. La señora Mahoney tiene un pelo suave y brillante y es elegantísima. Siempre parece salida de una revista de última moda; incluso cuando viste de manera informal, como iba esa noche, con una simple chaqueta y unos pantalones.

—Os agradezco vuestra participación en esta emocionante carrera —continuó—. El interés y la dedicación que habéis mostrado hacia esta maravillosa causa me llena el corazón de alegría, y estoy convencida de que a mi querido marido le habría conmovido tanto como a mí.

La señora Mahoney amaba ciegamente a su difunto esposo, aunque de hecho, según todos los que lo conocieron, incluido mi padre, Cornelius Mahoney era cualquier cosa menos *querido*. La mayoría de los habitantes de River Heights lo recuerdan como un personaje bastante desagradable, y además es muy probable que fuera un sinvergüenza y un especulador sin escrúpulos. Sin embargo, la señora Mahoney siempre destaca lo generoso que era. Y como la gente la aprecia mucho más de lo que aborrecían a Cornelius, nadie quiere poner en duda el recuerdo que ella tiene de él.

Debo confesar que en aquellos momentos yo sólo la oía, pero ya no la estaba escuchando. Mi única preocupación era el móvil que tenía entre las manos. Tenía el presentimiento de que a Ned le había ocurrido algo malo, y no conseguía quitármelo de la cabeza.

—Recordad que no estáis compitiendo solamente por

esto —prosiguió la señora Mahoney, al tiempo que extendía el brazo majestuosamente hacia el pedestal que tenía al lado. Encima del pedestal, justo en el centro, había una gran estatua dorada en forma de yunque—. No hay duda de que ganar el yunque es un gran honor, pero el auténtico privilegio está en ser capaces de hacer algo por aquellas personas que no han tenido tanta suerte como nosotros. Os doy las gracias especialmente por participar en la carrera con el noble propósito de ayudar a los demás.

Durante la segunda ronda de aplausos sentí vibrar mi teléfono. Mi corazón dio un vuelco y luego empezó a latir aceleradamente. Por medio de gestos les indiqué a George y a Bess que tenía que salir de la sala, y luego me dirigí al vestíbulo para poder hablar tranquilamente.

—Hola —respondí. Mi corazón aún latía con fuerza—. Me alegro de que por fin hayas llamado.

—Hola, Nancy, soy James Nickerson. La voz del padre de Ned sonó claramente a través del auricular. Estaba tan segura de que iba a ser su hijo quien respondiera al teléfono que de inmediato empecé a hacerme preguntas sobre Ned y su paradero. Me quedé tan absorta en mis propios pensamientos que tardé un par de minutos en retomar la conversación con su padre.

—Perdone, señor Nickerson. ¿Qué me estaba diciendo?

—Decía que ya sé que estás en el centro de convenciones, y que no quería importunarte —repitió el señor Nickerson—. ¿Podría hablar con Ned? Le he estado llamando, pero tiene el móvil desconectado.

—Ned no está aquí —le dije—. De hecho, yo acabo de dejarle un mensaje hace unos minutos. Supongo que aún estará en la universidad.

—No, allí tampoco está. Por eso te llamaba —contestó; por la voz se notaba que estaba un poco molesto—. He hablado con el profesor Herman y me ha dicho que Ned se ha marchado al terminar la clase, hace un par de horas. Dile sólo que me llame cuando llegue, ¿de acuerdo?

—Claro, no se preocupe —repuse. Colgué el teléfono y volví a la sala.

Bess se me acercó enseguida.

—Ha venido Charlie Adams —me dijo—. Quiere hablar contigo. ¿Qué te ha dicho Ned? ¿Por dónde anda? ¿Cuándo vendrá?

—Pues la verdad es que no tengo ni la más remota idea —respondí.

Le conté rápidamente mi conversación con el señor Nickerson, y tan pronto hube terminado aparecieron George y Charlie Adams.

Charlie es una especie de héroe local para mí. Conduce el camión de emergencias del mejor taller de coches del pueblo. Por eso, normalmente, cuando lo veo es para darle las gracias por sacarme de alguna cuneta, por arrancarme el coche que se me ha quedado sin batería o por traerme una rueda de recambio, tanto para el neumático que se me acaba de pinchar, como para el de repuesto que llevo deshinchado en el maletero del coche. Afortunadamente, esta vez las circunstancias eran otras.

—Hola, Charlie —le saludé—. ¿Qué puedo hacer por ti?

—Hola, Nancy —me dijo—. ¡Qué buen aspecto tienes! Os deseo toda la suerte del mundo para que ganéis la carrera el domingo.

—Gracias, Charlie. ¿Pasa algo con mi coche y yo no me he enterado?

—No, no, ¡qué va! —contestó él—. Por cierto, el de Ned ya lo he reparado. Dile que venga a buscarlo cuando quiera.

—¿El coche de Ned? ¿Qué quieres decir? —le pregunté sorprendida.

—¿Qué pasa con el coche de Ned? —dijo Bess.

—Nada que no se pueda arreglar con un pequeño remolque y unos cuantos golpes de martillo. El arroyo donde se metió era poco profundo, pero la parte frontal chocó contra una roca. Y aunque la abolladura era considerable, desapareció de un solo martillazo.

—Pero, ¿qué arroyo? ¿Y qué roca? Por favor, Charlie, empieza por el principio —le pedí desesperada.

A veces me vuelvo loca intentando entender a Charlie. Parece que hable en clave sin querer; y en nuestras conversaciones me siento como si en lugar de ir avanzando, andáramos hacia atrás, como los cangrejos.

—¿Así que no sabes nada de nada? —dijo finalmente dándose cuenta de la situación—. Está bien, ahora te lo explico. Hoy he salido a solucionar una emergencia y, de vuelta al pueblo, me ha parecido reconocer el coche de Ned tirado en un arroyo. La parte delantera estaba sumergida en el agua y la parte trasera sobresalía unos 50 centímetros.

—¿Dónde has encontrado el coche exactamente? —le pregunté.

—¿Has visto alguna vez ese gran árbol a la salida de Shady Road? El coche de Ned estaba justo allí, antes de la curva. De todas maneras no le ha pasado nada grave. Lo he remolcado y me lo he llevado al taller.

—¿Y Ned, dónde está? —pregunté ansiosa.

—¡Eh, que yo no sé nada de él!—replicó Charlie—. Sólo he encontrado su coche. Y estaba vacío cuando lo encontré. Abandonado.

2

¿DÓNDE ESTÁ NED?

—¿Abandonado? —repetí—. ¿Ned no estaba en el coche?

—No creo que Ned lo dejara allí, abandonado... —señaló George.

—Pues podría ser —dijo Bess—. Has dicho que su teléfono está desconectado. Quizá se quedó sin batería y no pudo llamar para pedir ayuda. Supongo que entonces empezaría a andar hasta el pueblo y... Bueno..., ahora ya debería de estar aquí, ¿verdad, Nancy? Así que... ¿dónde está?

Bess había hecho la pregunta que yo tenía en mente desde hacía mucho rato. «Ned, ¿dónde estás?»

—Charlie, ¿a qué hora encontraste el coche? —pregunté.

—Hace unas horas, creo. Porque luego he tenido que salir para solucionar otra emergencia. Aunque este último coche no me ha hecho falta llevarlo al taller. Lo he reparado allí mismo. Charlie Visitas-a-domicilio, ése es mi nombre.

—Es que das un servicio excelente, Charlie —dije con una sonrisa de oreja a oreja—. Pero volviendo al tema de Ned, ¿viste algo alrededor del coche que pudiera indicar hacia dónde se marchó Ned? —continué—. ¿Sus huellas? ¿O algo que se le pudiera haber caído?

—Para serte sincero, Nancy, mi intención no era buscar nada de esto —respondió Charlie—. Yo pensé lo mismo que Bess, que Ned había vuelto a pie. Por tanto, yo sólo tenía que remolcar su coche y ya nos veríamos luego en el taller. Pero de momento aún no lo he visto.

—¿Miraste también bajo el capó? —pregunté—. Así, a simple vista, ¿había algo que indicara que se tuvo que desviar de la carretera? ¿Alguna irregularidad en los frenos, por ejemplo? ¿O algo mal en la dirección del coche?

—Pues he aprovechado para darle un buen repaso —le respondió Charlie—. Y todo estaba en orden: los frenos y la dirección estaban bien. Los amortiguadores también estaban en buen estado, no había ningún pinchazo en las ruedas... No sé..., en la carretera ni siquiera había marcas de que hubiera derrapado. Nada que indicara que hubiera perdido el control del coche. De hecho, si lo analizas bien, no parece que nada le hiciera desviarse de la carretera. Más bien parece que simplemente giró el volante y se dirigió adrede hacia el arroyo.

—Ya veo... Bien, Charlie, muchas gracias —dije.

Intenté sonreírle agradecida, pero no me fue fácil. Al final me di por vencida y me alejé de allí para poder pensar en paz. Pero la verdad es que es bastante difícil mantener la calma cuando alguien te está diciendo que parece que tu novio se ha metido de cabeza con el coche en un arroyo.

—Me voy al taller de Charlie —les dije a George y Bess—. Quiero echar un vistazo al coche de Ned. Y vosotras dos, por favor, quedáos aquí y aseguráos de que nos dan toda la información sobre la carrera. Vendré tan pronto haya terminado.

Le pregunté a Charlie si me dejaría entrar en el taller a esas horas, y me dijo que sí. Le seguí detrás del camión de emergencias y llegamos allí enseguida. Como de costumbre, Charlie había hecho un trabajo impecable, y el coche de Ned tenía aún mejor aspecto que la última vez que lo vi. Era imposible adivinar que ese mismo día había sufrido un accidente.

Lo primero que hice fue revisar si había algo sospechoso incrustado en los neumáticos. Pero aparte de gravilla y restos de hierba y ramas, no encontré nada; sencillamente el tipo de materiales que se arrastran inevitablemente al conducir. Mientras Charlie atendía al teléfono en la oficina, miré dentro del maletero y luego entré en el coche. Me sorprendieron un par de cosas. En primer lugar, el móvil de Ned estaba en la guantera. Me pareció extraño, porque él no suele olvidárselo, siempre lo lleva en el cinturón o en algún bolsillo. Lo cogí y lo guardé en la mochila. A continuación inspeccioné los asientos. La segunda sorpresa fue todo lo que había bajo el asiento del conductor. ¡Ned podía haber montado un mercadillo ambulante con todos esos cachivaches!

Con un paraguas que encontré en los asientos de atrás, barrí el negro espacio que había bajo el asiento de Ned. De allí dentro salieron todo tipo de objetos curiosos: tarjetas de presentación, tarjetas de felicitación, un CD, un montón de monedas y de hojas sueltas, un par de bolígrafos, un pequeño medallón dorado, un mapa impreso por ordenador, una llave inglesa y una percha de plástico. ¡Y eso con una sola pasada del paraguas!

Lo coloqué todo encima del asiento para poder examinarlo más detenidamente. Los papeles eran de Ned, sin duda, así como los bolígrafos, las monedas y la llave inglesa. El CD también lo reconocí enseguida: se lo había regalado yo por su cumpleaños.

De hecho, el único objeto que parecía estar fuera de lugar era el medallón dorado. Era la primera vez que lo veía. Lo envolví en un pañuelo de papel y me lo metí en el bolsillo. Como no encontré nada más que me llamara la atención, me despedí de Charlie y volví con el coche al centro de convenciones.

En el aparcamiento saqué el móvil de Ned de la mochila y escuché sus mensajes de voz; mi curiosidad era estrictamente profesional, claro está. Sólo había tres mensajes: dos de su padre y el mío.

Cuando entré en el centro de convenciones, George y Bess me esperaban en el vestíbulo.

—¡Has llegado justo a tiempo! —exclamó Bess—. Acabamos de salir ahora mismo.

—Ned todavía no ha aparecido —dijo George—. ¿Encontraste algo en su coche?

—Tengo una posible pista. Pero esperadme aquí un segundo. Quiero saber si Ned dejó algún mensaje a los organizadores de la comilona.

Hablé con una de las mujeres responsables del acto. Ella consultó a varias personas y luego me confirmó que Ned no había llamado ni había dejado ningún recado.

—Nada de nada —les dije al reunirme con ellas—. Aquí tampoco ha llamado.

—¿Y qué es lo que has encontrado en su coche? —me preguntó George con curiosidad.

—Pues, para empezar, su teléfono —respondí—. Y la verdad es que funciona perfectamente.

—Entonces podemos descartar mi hipótesis de que el móvil se podría haber quedado sin batería o haberse estropeado —dijo Bess—. Pero, ¿por qué lo dejaría en el coche?

—Yo no creo que lo hiciera —contesté—. También encontré esto —añadí, mostrándoles el medallón.

Era ovalado y estaba perforado en uno de los extremos. Había dos figuras grabadas que parecían anzuelos para pescar, uno hacia la derecha y el otro hacia la izquierda.

—Parece algún tipo de símbolo —comentó George.

—Es algo de astrología —afirmó Bess.

—¡Eso es! —exclamé—. Se trata del signo de Géminis, los gemelos.

—Podría ser una joya —añadió Bess—. Si pasáramos una cinta o una cadena por el agujero, se convertiría en un colgante.

—También podría formar parte de algún collar —sugirió George.

—Gemelos —murmuré.

Algo me rondaba por la cabeza, aunque no lograba saber exactamente qué era. De repente me sentí muy inquieta. Necesitaba moverme, me hacía falta un poco de acción.

—Me voy a buscar a Ned —les dije, dirigiéndome hacia el vestíbulo—. Vamos al lugar donde Charlie encontró el coche.

Mis amigas no dijeron nada. No era necesario. Las tres nos encaminamos hasta el aparcamiento a paso ligero y luego subimos a mi coche.

Estuvimos muy calladas durante todo el trayecto hasta Shady Road. Trece kilómetros después, paré el coche bajo el gran sicómoro que había junto a la curva.

Ese sicomoro es un árbol realmente conocido. Siempre que alguien escribe sobre los árboles más grandes o más bonitos de nuestro estado, uno de los más mencionados es este ejemplar gris y blanco. No sólo posee un tronco gigante, sino que además sus ramas miden casi un metro de diámetro y crecen horizontalmente antes de empezar a elevarse. Tres o cuatro hombres podrían estar de pie uno junto al otro encima de cualquiera de esas ramas y éstas ni siquiera temblarían.

—¡Mirad, ahí está! —exclamó George, que salió corriendo de mi coche—. Éste es el sicómoro. Y fue en este punto donde Ned se desvió de la carretera.

El pulso me martilleaba las sienes. Bum, bum, bum. Cogí la mochila de un zarpazo y corrí detrás de George. Bess nos siguió.

En la carretera podía verse claramente cómo las marcas de un neumático habían hecho un giro en la curva donde estaba el árbol; luego habían cortado la hierba y la maleza y se habían detenido ante un montón de juncos al borde de un arroyo de poca profundidad. Además, había otro grupo de marcas mucho mayores de un doble neumático. Supuse que estas últimas marcas eran las del camión de Charlie.

—¿Crees que puede haber serpientes por aquí? —preguntó Bess, señalando la maleza. Apenas pude oírla, ya que lo preguntó con un hilo de voz.

—Si las hay, seguro que desaparecerán en cuanto nos acerquemos —dijo George, antes de que me diera tiempo a responder.

George parecía estar un poco irritada con su prima, lo cual ocurre de vez en cuando. Están muy unidas, pero a veces una simple diferencia de opinión puede provocar una discusión monumental. Y yo odio estar en medio.

Me detuve justo en el lugar donde había estado el coche de Ned, allí donde había aplastado todos aquellos hierbajos. A mi alrededor había una gran extensión de juncos y maleza completamente allanada por el peso del coche. Aún quedaba un poco de luz y por eso vi que en el terreno fangoso cerca del riachuelo había una serie de huellas humanas. Eran muchas, y se podía diferenciar el dibujo de tres pares de zapatos distintos.

Fui siguiendo el rastro de las huellas. Al principio eran como hendiduras en el barro, y luego se convertían en cúmulos de fango sobre la hierba. Todas las huellas iban a dar finalmente a la carretera. Y sólo un grupo de ellas continuaba dejando rastros de barro en dirección a River Heights.

—¿Qué haces, Nancy? —me preguntó Bess.

—Estoy analizando estas huellas —le contesté—. Parecen bastante recientes, como si los pasos fueran de esta misma tarde.

—Pero Charlie no comentó nada de unas huellas —me recordó George.

—Más bien dijo que no se fijó —puntualicé—. Probablemente sólo se concentró en su trabajo. Y yo ahora me concentro en hacer el mío.

Observé que había un segundo grupo de huellas que iba desde donde habría estado la puerta del conductor del coche hasta la orilla del arroyo y, a continuación, de nuevo hacia la carretera. Estas pisadas se detenían en el barro, a poca distancia del sitio donde había estado el coche de Ned.

—Estas huellas podrían ser las de Charlie —les dije a George y a Bess, indicando un punto concreto en el suelo—. Mirad, aquí se aseguró de que Ned ya no estaba en el coche, y quizá miró con más atención para ver si las llaves estaban dentro. Luego debió de comprobar la parte delantera del coche, probablemente para calibrar la profundidad del agua. Y, por último, volvió a la parte trasera y enganchó el coche al remolque —les expliqué siguiendo las huellas.

—Éstas deben de ser las marcas del camión de emergencias —señaló George.

—Exacto —asentí—. Y aquí se ve cómo se dirige a su vehículo para remolcar el coche de Ned.

—¿Y qué piensas del resto de huellas? —preguntó Bess.

—Pues mirad: hay dos grupos más de pisadas —dije, mostrándoles las otras huellas—, que se sitúan más o menos donde debía de estar la puerta del conductor del coche de Ned. Así que tenemos claramente a tres personas: una es Ned, obviamente; la otra es Charlie. ¿Y la tercera? ¿A quién pertenece el tercer grupo de pisadas?

En ese momento sentí una punzada de angustia. «¿Quién más estuvo aquí?», me pregunté. «¿Le hizo algo a Ned? ¿Dónde estaba Ned ahora?»

Las tres fuimos siguiendo el recorrido de las huellas misteriosas.

—Se dirigen hacia la carretera —dijo Bess—. Pero luego se esfuman.

—Esa persona debió de subir a un coche, o a cualquier otro vehículo, en este punto —sugerí.

—La expresión de tu cara es extraña. ¿En qué estás pensando?

—No sé, es que no entiendo qué puede haber ocurrido —respondí—. Ned no ha aparecido por ninguno de los lugares donde se suponía que debía estar esta tarde. Además, no ha llamado a nadie para decir por qué. Él no suele comportarse de esa manera. Su coche ha sido abandonado en este arroyo con el teléfono dentro. ¿Y si a él también lo han dejado aquí tirado?

Miré a mi alrededor. Empezaba a oscurecer y una tenue luz de color grisáceo brillaba ahora sobre el paisaje.

—¡Ned! —grité—. Ned, ¿estás ahí?

3

ATANDO CABOS

—¡Neeeeed! —grité de nuevo.

Nada, ni el más leve sonido.

—Ned, ¿estás ahí?

Oí que mi voz se había vuelto ronca, y entonces me di cuenta de que estaba temblando como una hoja. Normalmente no soy una persona asustadiza y me encantan las misiones de rescate. Pero cuando resulta que es un buen amigo el que está en peligro, la cosa es un poco diferente. Es mucho más duro evitar que las emociones te dominen, y no es tan fácil pensar con claridad.

Respiré hondo y carraspeé. Esta vez mi voz sonó fuerte y clara.

—¡Neeeeed! —le llamé por última vez.

Eché otra ojeada a mi alrededor, pero allí no había nada. Ni una sola persona, ningún edificio, ningún escondite. Estaba claro que Ned no podía estar en ese lugar.

—Vámonos —les dije, caminando a paso ligero hacia el coche—. Volvamos al pueblo.

Esta vez, las dos primas tampoco pronunciaron palabra. Subimos al coche y retomamos la carretera por Shady

Road. Las tres íbamos mirando por la ventana, absortas en nuestros propios pensamientos. Tenía la sensación de que ellas estaban tan preocupadas como yo.

Todavía seguíamos en silencio cuando llegamos a River Heights. Mi coche era el único que circulaba por la carretera. Poco a poco el resplandor de las últimas luces del crepúsculo fue desapareciendo, y el cielo oscureció. Agucé la vista y observé atentamente la carretera y el paisaje que nos rodeaba.

Entonces fue cuando me pareció ver por primera vez el destello de una luz muy lejana. Parpadeé un par de veces para asegurarme. A medida que me acercaba con el coche la luz se iba intensificando y...

—¡Ahí está! —dije, gritando de alegría—. ¡Es Ned!

Ante mí se veían los faros traseros de una bicicleta y a Ned al lado guiándola carretera abajo. Aunque aún estaba a cierta distancia, lo reconocí de inmediato porque llevaba su anorak rojo con el rayo fluorescente de color plata en la espalda. Hice sonar la bocina y Ned se giró. Al darse cuenta de que era mi coche, alzó el puño al aire y me dedicó una de sus increíbles sonrisas. Detuve el coche de golpe y salí de él corriendo. Bess y George también salieron enseguida del coche y me siguieron.

—Siempre es un placer volver a verte —me dijo Ned, dejando caer su bicicleta cuidadosamente sobre la hierba—. Pero ahora me hace especialmente feliz. Tengo muy malas noticias: alguien me ha robado el coche. Siempre lo dejo aparcado bajo un...

—No te lo han robado, Ned —le interrumpí—. Está en el taller de Charlie.

—¿De Charlie Adams? ¿Y qué hace allí?

—Charlie lo remolcó y lo sacó del agua hace unas horas —le explicó Bess.

—¡Del agua! Vaya... ¿Os importaría empezar por el principio?

Le contamos a Ned que Charlie había encontrado casualmente su coche.

—¿En el arroyo? —preguntó sorprendido—. ¿Realmente estaba tirado en el arroyo? Caramba, cómo me alegro de que Charlie pasara por allí en ese momento.

—Fue una suerte que nos enteráramos, y por eso Nancy ha querido ir allí ahora mismo.

—Hablé con tu padre hace un rato —le dije a Ned—. Él había llamado al profesor Herman y éste le había informado de que te habías ido de la universidad al terminar la clase, horas antes. Por eso estaba tan preocupada.

Ned me envolvió en sus brazos y me abrazó con fuerza. Me sentí en el séptimo cielo.

—¿Dónde has estado todo este tiempo? —le preguntó George.

—Caminando —le contestó Ned. Entonces inclinó la espalda hacia abajo y descansó las manos sobre las rodillas. Luego se irguió y estiró la espalda, arqueándola hacia atrás. En ese instante vi que se había hecho un desgarrón enorme en los pantalones. El corte iba desde la rodilla hasta el tobillo, y cuando Ned se movía, se le podía ver un arañazo muy feo en forma de «Z» en la pantorrilla.

—¡No me digas que has estado andando desde la universidad hasta aquí!

—Pues no te lo diré —le respondió Ned, mientras cargaba su bicicleta en el coche—. Pero es exactamente lo que he hecho.

—¿Y qué es lo que ha pasado? —le interrogué impaciente. No quería presionarle, pero me moría de ganas de saber por qué su coche había ido a parar al arroyo.

—Siempre que tengo clase en la universidad aprovecho para hacer un poco de deporte extra —nos contó mientras subíamos de nuevo al coche.

Bess y George se sentaron detrás y Ned se sentó a mi lado. Bess le ofreció una botella de agua y él bebió varios tragos. Arranqué el coche y me reincorporé a la carretera. Apenas quedaban unos kilómetros hasta River Heights.

—De camino a la universidad —continuó Ned—, me desvío de la carretera y aparco el coche en la hierba, bajo el gran sicómoro. Luego saco la bici del coche y recorro los quince kilómetros que me quedan hasta la universidad.

—¿Y esta tarde también lo hiciste? —preguntó George.

—Sí —afirmó Ned—. Como de costumbre, he aparcado la bicicleta con doble candado delante de la clase, y así puedo verla desde la ventana. Al finalizar la clase, volví con la bici hasta el coche, o al menos ésa era mi intención. A medio camino tuve un pequeño accidente.

Con la mano se palpó la rascada que tenía en la pierna.

—¿Chocaste contra alguna roca, contra algún árbol...? —le preguntó Bess.

—No. Lo que ocurrió fue que la cadena se me partió de repente y perdí totalmente el control de la bicicleta. Derrapé y me caí al suelo de lado, por eso me hice este rasguño en la pierna.

Entonces Ned se giró y sonrió a Bess con cara de resignación:

—La verdad es que tu pericia con estas cosas me habría venido de maravilla en ese momento —le dijo Ned cariñosamente—. Y algunos eslabones de repuesto, de esos que tú siempre tienes a mano.

Y luego dijo, girándose nuevamente hacia mí:

—De todos modos, lo peor fue que olvidé coger el móvil. Lo dejé en la guantera del coche. O sea que además de haberme quedado tirado en una zona completamente aislada, ni siquiera podía llamar para pedir ayuda.

—Y entonces te pusiste a caminar —dije.

—Claro. Intenté regresar hasta donde había aparcado el coche, o hasta donde yo creía que lo había aparcado: a salvo bajo el gran sicómoro.

—Sólo que antes de que tú llegaras, Charlie ya lo había encontrado en el arroyo y lo había remolcado hasta el pueblo —añadí.

—Por tanto, no tuviste más remedio que seguir andando —dijo Bess—. ¡Guau!

—Sí, hasta que vi un ángel en su coche azul que venía a rescatarme —dijo Ned, que alargó el brazo y me rodeó los hombros.

—¡Apuesto a que nunca volverás a olvidarte el móvil en la guantera! —exclamó Bess sonriente.

—Ni volverás a aparcar en una pendiente sin poner el freno de mano —añadió George.

—¡Pero si lo dejé puesto! —protestó Ned, girándose hacia atrás—. Eso es lo que no entiendo. Yo siempre pongo el freno de mano cuando aparco bajo el árbol.

Ned frunció el ceño, se quedó pensativo durante unos segundos y luego asintió firmemente con la cabeza:

—Estoy absolutamente seguro de que esta tarde dejé puesto el freno de mano.

Mi cerebro registró estos nuevos datos en el archivo referente a Ned. Pero, ¿qué había pasado *realmente*?. «¿Dónde estaban las otras piezas del puzzle?», pensé.

—¡Pues vaya caminata la tuya, Ned! Y además cargando con la bici estropeada —dijo George.

—Me desvié por el atajo de Fern Meadow —explicó Ned—. Eso me ayudó un poco.

—¡Claro! Por eso no te vimos de camino al sicómoro —exclamé.

De repente me vino a la cabeza el medallón dorado con el signo de géminis que había encontrado en el coche de Ned. Lo busqué a tientas en el bolsillo de mi cazadora y lo saqué para enseñárselo a él.

—¿Es tuyo? —le pregunté.

—No. ¿Por qué me lo preguntas? —respondió.

—Porque lo encontré en tu coche, bajo el asiento del conductor —le aclaré—. De hecho, estaba prácticamente segura de que no era tuyo. ¿Lo habías visto antes?

—Nunca —contestó, negando con la cabeza.

Luego se quedó en silencio y entrecerró los ojos, como si intentara recordar algo. Volvió a mover la cabeza y finalmente dijo:

—Definitivamente, no. Es la primera vez que lo veo. Parece una medalla o algo así, ¿no? Lo que no comprendo es por qué estaba debajo de mi asiento.

—Estás seguro de que pusiste el freno de mano, ¿verdad? —le dije. Ned asintió, y continué—: Entonces es posible que alguien entrara en tu coche y desbloqueara el freno. Y que, mientras lo hacía, se le cayera el medallón. Alguien que quitó el freno de mano porque quería que tu coche acabara en el arroyo.

—¿Estás insinuando que no fue un accidente? —le preguntó George.

—Digo que es una posibilidad —afirmé con rotundidad.

—Deirdre... —murmuró George, de forma casi inaudible. Y justo después, le preguntó a Ned en voz alta:

—Y mañana, ¿qué hacemos con la carrera? ¿Te encuentras bien? ¿Crees que estás preparado?

—Estoy perfectamente bien —respondió Ned enseguida—. Lo único que me hace falta es una buena ducha, una buena cena y un buen descanso esta noche. Mañana por la mañana estaré en plena forma para la carrera, ya lo veréis.

—A mí me toca el primer relevo —le recordó George—. Así que además tendrás tiempo de descansar en la furgoneta.

—¡Genial! —exclamó Ned—. Eso es todo lo que necesito.

—¿Estás seguro? —le pregunté preocupada—. A mí lo que realmente me importa eres tú, la carrera es secundaria.

—Completamente seguro. En realidad, ahora ya estoy bien, y mañana estaré aún mejor —me dijo, y por su mirada supe que me decía la verdad.

—¿Qué te parece si nos acercamos al hospital y pedimos que te examinen esa pierna en urgencias? Esa herida no tiene muy buen aspecto —propuse.

—No hace falta, Nancy, de verdad —me dijo—. Si lo creyera necesario, iría, te lo aseguro.

—Está bien. Si tú lo dices...

Entonces me acordé del señor Nickerson y le devolví a Ned su teléfono:

—Será mejor que llames a tu padre enseguida.

Mientras Ned hablaba con su padre, intenté reconstruir mentalmente, y paso a paso, todo lo que había ocurrido esa tarde. ¿Quién querría dejar a Ned fuera de juego? ¿Y por qué? ¿Tenía algo que ver con la carrera? ¿O era algo personal contra él?

—A mi padre no le he contado nada de esto —dijo Ned después de colgar—. Se ve que ha recibido la visita inesperada de un par de viejos colegas suyos de Washington. Esperaré a que se marchen y entonces les contaré a mis padres la historia.

—Quizá entonces hayamos averiguado qué pasó exactamente —dije.

Al llegar a River Heights le hice a Ned una pregunta bastante comprometida:

—Ned, ¿crees que alguien querría hacerte daño por alguna razón? ¿Te has ganado algún enemigo últimamente?

—No, la verdad es que no se me ocurre nadie —respondió pensativo.

—Bien pues, seguiremos con los datos que tenemos y ya veremos qué aclaramos.

Aunque en aquel momento me sentía un poco desalentada, quería confiar en mí misma y creer que resolveríamos el caso.

Primero dejé a Ned en su casa. El pobre estaba hambriento y necesitaba que alguien le limpiara esa herida de la pierna. Además, una buena ducha de agua caliente le haría sentirse como nuevo.

Cuando llegamos a su casa, Bess le dijo que dejara la bici en la furgoneta.

—Quiero reparar esa cadena esta misma noche —nos comentó a todos—. Me aseguraré de que mañana esté a punto para la competición.

—Ned, en calidad de capitana de nuestro equipo, te ordeno que te zampes un buen plato de pasta y te metas enseguida en la cama. Necesitas dormir cuantas más horas, mejor —le dije a Ned, dándole un beso—. Bess vendrá a recogerte mañana por la mañana.

—¡Arriba nuestro equipo! —exclamó Ned a modo de despedida mientras entraba en su casa. Se le veía cansado, pero yo sabía que al día siguiente estaría listo para correr.

—Nancy, dinos qué crees que pasó en realidad. ¿Quién le haría algo así a Ned? ¿Y con qué objetivo? —me preguntó Bess, mientras yo arrancaba el coche para volver a la carretera.

—Sinceramente, no tengo ni idea —repuse—. Ned nos ha dicho que actualmente no tiene ningún enemigo, y estoy convencida de que nos dice la verdad.

—Y si tuviera alguno, ¿estás segura de que te lo diría? —insistió George—. ¿Y si se trata de alguien realmente mezquino y él no quiere decírtelo para que no te impliques? ¿Y si sólo intenta protegerte?

George tenía su parte de razón. Ned no suele mentir, pero a veces no me dice toda la verdad para que no me inquiete. No sería la primera vez que antepusiera mi bienestar a la resolución de un caso. Esta vez, sin embargo, le creí. Mi instinto me decía que Ned no me ocultaba nada. Por eso dije que no con la cabeza.

—¿Y qué opinas de Deirdre? —volvió a preguntarle George—. Es propio de ella hacer algo así: marearnos y hacernos perder el tiempo justo la noche antes de la carrera.

—Sí, lo he estado pensando desde que lo insinuaste por primera vez —le contesté—. Y, de hecho, no la descarto...

A continuación fuimos a casa de George y luego acompañé a Bess. Las dos viven tan sólo a unas manzanas de Vernon Avenue.

Bess y yo descargamos la bici de Ned, y juntas examinamos la cadena rota. Era fácil ver por dónde se habían partido los eslabones. Y también se veía claramente que alguien se había dedicado a limarlos parcialmente para que se partieran.

Por último me fui a mi casa. Hannah Gruen, nuestra ama de llaves, ya se había acostado. Cuando mi madre murió, mi padre contrató a Ana para que se encargara de la casa, cocinar y cuidar de mí. Hoy la consideramos definitivamente un miembro más de nuestra pequeña familia.

Me cepillé los dientes rápidamente y me metí en la cama sin perder un segundo. Había sido un día muy largo y lleno de emociones, por eso me costó un poco relajarme y dormir. Dos cosas me preocupaban especialmente: ¿quién había intentado perjudicar a Ned? y ¿estaba mi equipo preparado para la carrera?

4

EMPIEZA LA CARRERA

El sábado por la mañana hacía un tiempo espléndido, tal como habían pronosticado los partes meteorológicos; un tiempo ideal para hacer deporte: sol, pero no demasiado calor, brisa, pero muy suave, y nada de humedad.

Llamé a Ned inmediatamente después de despertarme, y me sentí aliviada al oír que se encontraba de maravilla y listo para empezar la carrera.

Me duché y me puse la ropa de montar en bici. Como uniforme de nuestro equipo, Bess había escogido unos pantalones de ciclista de color púrpura brillante y unas camisetas con rayas verdes a juego. No era obligatorio ir de conjunto, pero con Bess en nuestro equipo era inevitable.

En la mochila puse crema protectora para el sol, un protector de labios, una navaja de bolsillo, una linterna pequeña, un par de clips para el pelo, el móvil, unas cuantas chocolatinas, repelente de insectos y alguna otra cosa más. A última hora decidí coger el medallón que había encontrado en el coche de Ned, así que también lo guardé en la mochila. Luego bajé a la cocina.

Hannah había dejado una nota pegada en la puerta del

frigorífico; me decía que ya se había ido al centro. Se había ofrecido voluntaria para ayudar a cocinar y a servir el desayuno para los organizadores de la carrera. En la cocina aún flotaba el delicioso aroma de su pastel de plátano recién horneado, y encima de la mesa había un buen trozo esperándome.

Aunque no me tocaba correr hasta las tres de la tarde, yo ya me sentía nerviosa, como si tuviera mariposas en el estómago, así que decidí tomarme una píldora proteínica con sabor a melocotón y el trozo de pastel de Hannah, que se me deshizo en la boca de tan tierno como era.

Bess vino a buscarme con la furgoneta toda engalanada para la ocasión. George y Ned ya estaban dentro.

—¡Date prisa! —me gritó Bess—. O llegaremos tarde para el discurso inaugural de la carrera.

Me metí de un salto en la furgoneta y salimos a toda mecha hacia el centro.

—¿Estáis nerviosos? —nos preguntó George a todos—. Yo tengo unas ganas locas de que empiece la carrera. ¡Deirdre y su equipo van a morder el polvo detrás de nuestras bicis!

—Yo también estoy en plena forma —afirmó Ned.

—Y yo —les dije.

Al poco rato estábamos en el aparcamiento del banco, en el centro del pueblo. La línea de salida se encontraba entre Main Street y Highland Boulevard, justo enfrente del banco, en una de las esquinas más concurridas de River Heights. Todas las calles de la zona habían sido acordonadas para el acontecimiento. Además, en las aceras se habían instalado tribunas provisionales para los seguidores de los distintos equipos y para los animadores en general. Y cerca de la línea de salida habían colocado una tarima.

Desde todos los semáforos ondeaban banderas de color rojo y amarillo, y en las fachadas de todas las tiendas y negocios del centro colgaban pancartas hechas a mano con los nombres de sus equipos favoritos. Los miembros de la banda de música del instituto se habían apostado en un rincón del pequeño parque que hay detrás del banco, y sus alegres melodías resonaban por todas partes.

George y yo descargamos las bicicletas de la furgoneta y a continuación realizamos unos cuantos ejercicios de calentamiento. Odio hacer deporte con ropa recién estrenada; por eso a principios de esa semana, me había puesto mi conjunto nuevo y había ido un par de veces a correr unos quince kilómetros. Después de haber hecho los estiramientos aquel sábado por la mañana, me sentía la mar de cómoda con mis pantalones y mi camiseta.

—¡Chicos, mirad quién viene! —dijo Bess.

Todos levantamos la vista al mismo tiempo. Deirdre acababa de entrar en el aparcamiento, montada en su bici y seguida de un par de chicos.

—Veo que ella y su equipo también visten uniforme a juego —señaló Ned—. Negro con rayas azules.

—Mmmm —dijo George—. Negro y azul... Me parece muy premonitorio. Creo que DeDe se va a estrellar tanto con su flamante superbici nueva como lo hacía con la vieja.

—¡Atención! Que los participantes de la carrera se acerquen aquí un minuto, por favor.

La voz de Ralph Holman retumbó por toda la zona del aparcamiento. Se le daba mejor hablar por el megáfono que por el micrófono, como hizo la noche antes en el centro de convenciones.

—Dejad un momento vuestras bicicletas —prosiguió— y venid aquí —nos ordenó.

El señor Holman se dirigía a nosotros desde la tarima que se había instalado de manera provisional en el área de salida. Junto a él había una impresionante caja de caudales antigua. Estaba hecha de hierro colado negro y sus esquinas estaban decoradas con arabescos de latón muy brillante. De pie, al otro lado de la caja fuerte, había otro hombre vestido con un uniforme gris.

Todos los ciclistas, seguidores y animadores que se habían congregado allí para presenciar el comienzo de la carrera, se daban codazos unos a otros para ver mejor lo que ocurría en la tarima. Miré a mi alrededor para observar al resto de los ciclistas, sobre todo para calibrar la competencia. Poco o mucho, conocía a la mayoría de los participantes, pero había algunos a quienes no había visto nunca.

Dos de los chicos que Deirdre había reclutado para su equipo estaban pegados a ella, pero el tercero se había escabullido por algún sitio. Reconocí a Malcolm, el conductor de su coche escoba. De niños fuimos juntos a la escuela. Era muy alto, de pelo largo y oscuro, que llevaba recogido en una cola de caballo tras la nuca. Al otro chico era la primera vez que lo veía. Debía de ser uno de los hermanos Jensen. Tenía el pelo de un rubio casi blanco, muy aclarado por el sol, o al menos yo supuse que era decolorado por el sol.

Había unas cuantas personas vestidas de ciclistas y un poco alejadas de la multitud que me eran totalmente desconocidas. Una de ellas, en concreto, parecía totalmente fuera de lugar. Era un hombre joven; estaba apoyado contra un árbol y sostenía una bicicleta de ruedas muy gruesas, con frenos *cantilever* en un manillar recto, y tres platos. Era absolutamente imposible que hubiera visto el recorrido de la carrera, porque su bicicleta era de montaña, ¡no de carreras!

—Como seguro que ya sabéis, las contribuciones y los donativos de la carrera benéfica de este año ya han establecido un nuevo récord.

El señor Holman extendió el brazo y giró una larga barra de acero conectada justo al centro de la puerta de la gran caja fuerte. La multitud enmudeció. La puerta de la caja de caudales se abrió ligeramente con un clic. Luego, el señor Holman acabó de abrir la puerta de forma muy exagerada. En ese momento todo el mundo se quedó boquiabierto: en aquella caja fuerte había montones de dinero. Mucho dinero.

—Todo el dinero que veis aquí ha sido donado a la Fundación Abre tu Corazón —continuó el señor Holman—. Y lo mejor de todo es que ha sido donado en *vuestros* nombres.

Al decir eso alzó el brazo y lo agitó enérgicamente de un lado a otro, como si nos estuviera saludando.

—Os felicito por todo lo que habéis conseguido hasta ahora en favor de esta maravillosa causa —dijo—, y por todo lo que estáis a punto de conseguir.

Debo confesar que sus palabras me hicieron sentir estupendamente bien. Bess, George, Ned y yo nos reunimos en un abrazo colectivo, y luego levantamos los brazos y gritamos un fuerte hurra.

Después de eso, guié a mi equipo a través de la multitud para desear buena suerte al resto de equipos. Algunos de ellos estaban más o menos dispersos entre la gente, por eso no pudimos hablar con todos nuestros competidores.

Deirdre y los chicos de su equipo se acercaron a nosotros. Saludé al conductor enseguida.

—Eres Malcom Price, ¿verdad? —le pregunté directamente—. Hola, soy Nancy Drew.

—Sí, ya te recuerdo. Íbamos al mismo colegio, ¿no? —respondió Malcolm—. Te presento a Thad Jensen.

—Así es —añadió Deirdre—. Ninguno de vosotros conoce a los hermanos Jensen, ¿verdad? Son prácticamente ciclistas profesionales. Han ganado muchísimas competiciones, aunque todas ellas sólo pueden considerarse un simple entrenamiento comparadas con esta carrera, por supuesto.

Sin decir nada más, Deirdre dio media vuelta y se marchó. Malcolm y Thad sonrieron y asintieron con la cabeza. Luego también se dieron la vuelta y se marcharon tras su reina.

—¿Creéis que Deirdre habrá traído un profesional de verdad? —nos preguntó alarmada Bess—. Quiero decir un ciclista autén..., bueno, alguien de quien debamos preocuparnos.

—¿Y qué, si lo ha hecho? —replicó George—. Seguro que podremos con él. ¡Hoy los venceremos a todos!

Entonces George cogió a su prima por los hombros y le dio un buen estrujón:

—Tú preocúpate sólo de conducir la furgoneta. Del resto ya nos ocupamos nosotros.

—¿Alguno de vosotros ha visto a un tipo que llevaba

unos pantalones cortos de color rojo? —pregunté—. Iba con una bicicleta de montaña y estaba bastante alejado del resto de la gente, apoyado en un árbol, cerca del banco.

—Yo sí —respondió Ned—. Y alguien debería decirle que ésta es una prueba de carretera. Tendrá mucha desventaja frente al resto de corredores. Vamos a circular siempre por asfalto y no habrá ningún trayecto de montaña.

—Me pregunto si todos los de su equipo van a competir en bicis de montaña —dijo George.

Eché una ojeada al árbol junto al que se había reclinado el hombre de los pantalones rojos. Su bicicleta continuaba allí, pero en ese momento él se estaba acercando a la tarima. El señor Holman ya no estaba arriba, sino que había bajado y estaba conversando con algunos patrocinadores.

Había algo acerca de ese hombre que me preocupaba. Sencillamente, no respondía al perfil de un participante en una carrera benéfica. Además, tenía aspecto de ser un solitario, no había nadie con él. Por tanto, ¿dónde estaban los demás miembros de su equipo?

Observé cómo se paseaba por delante de la tarima durante unos minutos. El señor Holman se había ido alejando, ya que constantemente se encontraba con gente que conocía, y se paraba a saludarlos. El agente de seguridad aún estaba junto a la caja fuerte, encima de la pequeña tribuna. Sin embargo, en aquel momento estaba mirando hacia un lado y no parecía darse cuenta de que el hombre de los pantalones rojos estaba dando vueltas alrededor de la zona.

Mientras yo le observaba, Pantalones Rojos saltó grácilmente a la tarima y se dirigió directamente a la caja de caudales. Luego se agachó delante de la puerta abierta, como si quisiera ver de cerca todo el dinero que había dentro.

Avancé hacia la tribuna para no perderme detalle de lo que estaba ocurriendo, y llegué justo a tiempo para ver cómo, con una amable sonrisa, el guarda de seguridad indicaba a Pantalones Rojos que se alejara de la caja fuerte. Pantalones Rojos bajó de la tarima de un salto hacia atrás y sin decir ni una palabra. Al intentar salir de entre la multitud apresuradamente, chocó contra mí. Yo me giré y vi cómo cogía su bicicleta de montaña y se encaminaba rápidamente hacia el aparcamiento.

—Usted también, señorita —oí que me decían por detrás—. Es hora de prepararse para la carrera. Voy a cerrar la caja fuerte.

Me giré hacia la tarima de nuevo y vi que el agente de seguridad me estaba hablando a mí.

—¡Ah, sí! Perdón, agente..., agente Rainey —dije, leyendo la placa que llevaba en la chaqueta—. Tiene usted mucha responsabilidad, vigilando todo ese dinero.

El agente Rainey me sonrió afectuosamente y asintió con la cabeza de forma enérgica y profesional.

—¡Hola! ¿Qué tal? —me saludó el señor Holman, mientras subía otra vez a la tribuna—. Eres la hija de Carson Drew, Nancy Drew, ¿verdad?

—La misma —le contesté.

—Veo que también vas a competir hoy —me dijo el señor Holman.

Luego cerró la puerta de la caja fuerte con un golpe seco.

—¡Que tengas mucha suerte, Nancy! Y ahora más vale que te vayas preparando.

Mientras el señor Holman me hablaba, pude ver de reojo cómo Pantalones Rojos se alejaba y desaparecía de mi campo de visión.

Entonces miré hacia la línea de salida, y lo que vi me hizo volver a la realidad de golpe: la mayoría de los ciclistas del resto de los equipos ya estaban con sus bicicletas en posición de salida. Eché un vistazo a mi reloj. Había estado tan absorta contemplando a Pantalones Rojos que ni siquiera había oído el aviso para los participantes de la carrera. El primer relevo salía dentro de doce minutos.

En la tarima, el señor Holman y el agente Rainey estaban retirando la caja fuerte en una especie de plataforma móvil.

Miré de nuevo el reloj y salí disparada hacia el aparcamiento.

—¿Dónde estará George? —dije, pensando en voz alta. No estaba junto al resto de los corredores en la línea de salida. De hecho, no había nadie de mi equipo en la zona de salida. Y el juez ya se estaba preparando para dar el pistoletazo de salida.

Los encontré a los tres todavía en el aparcamiento; estaban atareados descargando ruedas de recambio de la furgoneta.

—Ha sido Deirdre, estoy segura —gruñó George al verme llegar—. ¡Nos han pinchado todas las ruedas!

5

PREPARADOS, LISTOS... ¡ALTO!

—Simplemente quitad la rueda trasera y punto —ordenó Bess—. George, ¡debes salir a la carretera ya!

—¿Le han pinchado las dos ruedas? —pregunté usando una de las bombas para inflar a tope la rueda de repuesto.

—Sí —dijo Ned asintiendo con la cabeza—. De hecho, todas las ruedas de nuestras bicicletas están pinchadas. Pero, ya conoces a Bess, en la furgoneta tenemos un montón de neumáticos de repuesto.

—¡Callaos de una vez e hinchad la rueda! —exclamó Bess—. ¡George debe correr el primer relevo ahora! Más tarde ya nos ocuparemos del resto de las bicicletas.

—Nancy, Evan Jensen ha estado ausente durante todo el acto de presentación de la caja fuerte— comentó George—. Es muy probable que él nos haya pinchado las ruedas. Pero no hay duda de que Deirdre está detrás de todo esto. Tenemos que hacer algo; hay que pararle los pies de una vez.

—No lo sabemos con certeza, George —le recordé—. Por ahora sólo tenemos sospechas y ninguna prueba. Claro que yo también creo que su equipo quiere acabar con nosotros. ¡Ella siempre pretende hacernos la vida imposible! Pero de momento no tenemos más remedio que estar muy alerta y preparados para la nueva trampa que nos pueda haber tendido. Y ahora vuestra única preocupación debe ser la carrera.

George estaba realmente enfurecida, lo que tenía sus pros y sus contras. Seguramente el odio que sentía por Deirdre la haría competir más ferozmente. Aunque yo tampoco quería que estuviera tan enfadada como para olvidar cuál era nuestro verdadero objetivo: ganar el máximo dinero para la Fundación Abre tu Corazón.

—Ocúpate sólo de tu cometido esta mañana —le dijo Ned a George—. Y no malgastes tus energías pensando en vengarte de Deirdre.

—Estoy totalmente de acuerdo —añadí yo—. Tarde o temprano cometerá algún error. Siempre lo hace. Y entonces la atraparemos. Es cuestión de no bajar la guardia.

Gracias a la pericia de Bess, nuestra mecánico jefe, estuvimos listos otra vez en seis minutos. Bess, Ned y yo ayudamos a George a remontar las alforjas encima del soporte de la rueda trasera. Luego los tres la acompañamos a la línea de salida.

—Repasemos nuestra estrategia una vez más —sugerí mientras esperábamos—. Ésta es una carrera de relevos, así que todos correremos un turno hoy y otro mañana. A George le toca hoy de las diez hasta las doce del mediodía. Bess, Ned y yo iremos detrás en la furgoneta, George. Si necesitas algo, nos lo dices enseguida, ¿de acuerdo?

Comprobé que su móvil estaba en su funda de plástico, colocado en el asiento trasero.

George conectó el ordenador de su bicicleta, el mismo que había instalado en nuestros manillares. Inmediatamente apareció un mapa del circuito de la carrera en la pantalla.

—Eres un genio —dijo Ned con una gran sonrisa.

—Creo que tengo todo lo que necesito para estas dos horas.

—De todas maneras, estaremos a tu lado para lo que te haga falta —le dijo Bess a su prima.

—Está bien —continué—. A las doce exactamente te indicaremos que pares. Recuerda que tenemos un GPS en la furgoneta, y por eso debemos ser muy estrictos con los horarios. Tendremos una hora para comer.

—La comida ya está lista, ¡y vais a chuparos los dedos! —nos aseguró Bess.

—Ned, tú correrás el segundo turno, de la una a las tres. Y por último, yo correré de tres a cinco. Nos detendremos a las cinco en punto para pasar la noche. Haré lo posible para encontrar un buen sitio de acampada —añadí sonriendo—. Y recordad que hoy es el día más duro, mañana los relevos sólo son de una hora y la carrera termina aproximadamente a las doce.

Entonces eché una ojeada a un mapa del trayecto de la carrera. Recorría varias carreteras tanto dentro como en los alrededores de River Heights, además de algunas de los pueblos vecinos.

—Quizá podríamos acampar en Swain Lake —sugerí.

—¡Eso sería genial! —exclamó Ned, mirando su mapa —. Si todo va bien, deberíamos tener tiempo de llegar hasta allí.

—¡Atención todo el mundo! ¡Empieza la carrera! —exclamé—. George, estoy segura de que vas a ganar el primer relevo, ¡ánimo!

Nos despedimos con un ¡hurra!, y ella ocupó su lugar junto a los otros cinco ciclistas en la línea de salida.

—Deirdre ha escogido a Thad para que corra el primero —señaló Bess, mientras Ned y yo nos reuníamos con ella en la furgoneta.

—Todavía no he visto a su hermano, el escurridizo Evan Jensen —dije.

—El coche del equipo de Deirdre está a punto de arrancar, así que ya debe de ir dentro —dijo Ned—. Me pregunto a quién habrá elegido para el segundo relevo.

—Ella no es una buena esprínter —repuse yo—, así que es muy probable que se enfrente a ti. Y seguro que Evan correrá el último relevo cada día.

—Tú podrás con él, Nancy —afirmó Bess—. Eres la mejor. Vamos, subid a la furgoneta de una vez. Desde aquí podremos ver la salida.

La verdad es que la bicicleta se me da bastante bien. De todas maneras, yo sabía que en cuanto supiera quién era realmente mi rival me sentiría mucho más segura de mi capacidad de ganar la carrera.

El juez disparó su pistola y los seis ciclistas se alejaron como balas de la línea de salida. Thad Jensen se destacó enseguida del resto; sus piernas pedaleaban a un ritmo trepidante. Las seis furgonetas aceleraron la marcha tras los ciclistas.

El tiempo continuaba espléndido. Estábamos a unos 20 °C. El sol aparecía a menudo tapado por unas nubes blancas y esponjosas, había muy poca humedad y el aire era seco.

Casi todo el circuito había sido acordonado para la carrera, así que prácticamente circulábamos solos. Bess conducía a una velocidad constante y moderada, y Ned y yo nos instalamos confortablemente en nuestros asientos para presenciar las dos horas del relevo.

—Ned, ¿recuerdas algo más de lo que te pasó ayer? —le pregunté—. ¿Te ha venido a la memoria alguna imagen de alguien que pudiera merodear cerca del aparcamiento de bicicletas en la universidad, por ejemplo?

—Sabía que me lo preguntarías, Nancy —dijo Ned. Su brazo se apoyaba ligeramente en mi hombro. Íbamos en una furgoneta muy amplia y por eso podíamos sentarnos los tres delante.

—Ayer por la noche, en la cama, intenté reconstruir mentalmente los hechos —prosiguió Ned—. Pero me quedé totalmente en blanco. Lo único que recuerdo con certeza es que definitivamente dejé puesto el freno de mano.

—Bess y yo examinamos tu cadena y al parecer alguien limó parcialmente algunos eslabones —le expliqué—. Eso, más el coche rodando cuesta abajo hasta el arroyo... No sé, es muy sospechoso.

—Sobre todo si añadimos las ruedas pinchadas de esta mañana —dijo Bess.

—Exactamente —dije yo—. No podemos bajar la guardia en ningún momento.

Los tres seguimos hablando durante un rato sobre el posible autor del sabotaje de esa mañana. Sin embargo, nadie había observado ningún comportamiento extraño.

—George tiene razón —dijo Bess—. Ha tenido que ser Evan Jensen. Qué casualidad que justamente él estuviera ausente durante el discurso inaugural de la carrera, ¿no?

Aunque seguro que es Deirdre quien está detrás de esta jugarreta...

Estuve de acuerdo con ella, pero no dije nada más. Podíamos continuar especulando todo lo que quisiéramos, pero sin pruebas no teníamos nada.

George hizo una carrera excelente, como de costumbre; a las once y media ella y Thad corrían casi en paralelo. Ambos competían encarnizadamente por el primer puesto, pero al final George le adelantó en el último minuto. Al mediodía, cuando todos los equipos pararon para comer, nosotros llevábamos unos 40 metros de ventaja.

Ned, Bess y yo salimos disparados de la furgoneta y fuimos corriendo hasta donde se encontraba George para felicitarla. Se había tumbado sobre la hierba, en una pequeña pendiente cerca de un área boscosa. Al lado estaba su bicicleta, cuyas ruedas aún giraban lentamente.

—¡Lo lograste! —gritó Bess exultante de alegría y sentándose junto a George—. ¡Somos los mejores!

George asintió con la cabeza y se incorporó apoyándose en los codos. Se la veía aún rebosante de energía, pero necesitaba un descanso. Mientras ella echaba una ojeada a su bicicleta, Ned hizo unos cuantos estiramientos y yo ayudé a Bess a descargar la comida.

Bess había preparado el menú ideal para reponer fuerzas después de la carrera. Así que, mientras disfrutábamos de la ensalada de pasta, los bocadillos vegetales y las barritas de cereales, nos dedicamos a planificar nuestra estrategia para los relevos siguientes.

La furgoneta de Deirdre estaba aparcada más abajo, cerca de la carretera. Entre su equipo y el nuestro había más o menos medio campo de fútbol de distancia. Desde donde estábamos, podíamos ver a los cuatro miembros del equipo sentados bajo un gran árbol y vestidos en su uniforme blanquiazul. Estaban todos comiendo ante un gran mantel de color azul.

—Así que Thad te lo puso difícil, ¿eh? —le dijo Ned a George—. Pero en el último momento tú le ganaste.

—Es mejor ciclista de lo que aparenta —comentó George—. Probablemente Deirdre correrá el próximo relevo contigo. Pero no tendrás ningún problema. Sobre todo no le des demasiada ventaja. Puede que sepa lo que es el espíritu deportivo, pero estoy segura de que no lo respetará. Quiero decir que no será lo suficientemente cortés como para bajar el ritmo y dejar que le aventajes durante un rato. Ya sabes que es una interesada; mucho ojo con ella.

—Gracias —le dijo Ned, ofreciéndole un bocadillo—. Espero estar a la altura de la impresionante carrera que has hecho.

Ned terminó de comer en un plis plas, y acto seguido sacó su bicicleta a la carretera para hacer un par de esprints de calentamiento.

—Ojalá tuviera alguna pista sobre Evan *el Ciclista Fantasma* —les comenté a George y a Bess.

Luego le di un buen mordisco a mi bocadillo, y de repente aparecieron Deirdre y sus lacayos. Se dirigían a paso ligero hacia nosotras.

Como tenía el sol de cara, al principio no pude ver bien sus caras. Deirdre encabezaba el desfile, por supuesto, y Thad iba justo detrás de ella.

—Hola, Deirdre —dije, tragándome un par de hojas de lechuga sin masticar—. Hola, Thad. Vaya paliza le has dado a George, ¿eh? Casi le ganas...

—Yo no soy Thad —contestó él.

—Él es Evan —dijo Deirdre—, el hermano gemelo de Thad.

—¡Ah! ¿Sois gemelos? ¿Y tú eres tan bueno como tu hermano? —le pregunté.

Sólo pretendía darles un poco de conversación, mientras en realidad mi mente estaba concentrada en otra cosa. Me vino a la cabeza el pequeño medallón que había encontrado bajo el asiento de Ned. Ni siquiera escuché la respuesta de Evan, porque ya estaba pensando en mi próxima pregunta.

—Un amigo mío es un experto en astrología —dije, cuando Evan terminó de hablar—. Y un día me contó que muchos hermanos gemelos nacen bajo el signo de géminis mucho más que bajo otros signos del zodíaco. ¿Qué hay de vosotros, muchachos?

—Pues en nuestro caso coincide —dijo Thad, reuniéndose con su equipo—. Nosotros también somos géminis.

—He conseguido una tonelada de donativos —interrumpió Deirdre a fin de desviar la conversación hacia su tema favorito: ella misma—. Mi equipo y yo vamos a batir todos los récords de la carrera este año. No sólo llegaremos los primeros a la meta en un tiempo récord, sino que además seremos el equipo con más donativos y el que más dinero recaude.

—El señor Holman ya ha dicho que este año ha habido más donativos que nunca —señaló Bess.

George se puso de pie, de modo que ahora estaba a la misma altura que Deirdre.

—Para que lo sepas: Bess, ella sola, ha conseguido...

—Sí, sí, ya veo. Seguro que lo habéis hecho muy bien

—interrumpió Deirdre nuevamente—. Pero ninguno de vosotros tiene un seguidor tan generoso como mi padre. Si gana mi equipo, ha prometido hacer un donativo extra de mil dólares.

—Y vamos a ganar, tenedlo por seguro —añadió Malcolm—. Mañana me tocará darle gas a la furgoneta para poder seguir a Deirdre. ¡Cruzará la línea de llegada mientras vosotros ni siquiera habréis llegado al pueblo!

—Deirdre, ¿tú serás la esprínter? —preguntó George—. ¡Sorprendente! —exclamó, tumbándose en la hierba.

—Pues sí —afirmó Deirdre con orgullo—. He estado seis meses preparándome con un entrenador personal. Nancy, me temo que vas a tener una auténtica rival en el último relevo.

Como de costumbre, Deirdre se marchó sin esperar respuesta. No me atreví a mirar a la cara al resto de mi equipo. En aquel momento me estaba esforzando en cuerpo y alma para no soltar una carcajada. Y sabía que si miraba a George y a Bess, descubriría la misma expresión de tortura en sus rostros.

Finalmente, oí la risa ahogada de Bess, que intentaba taparse la boca con una servilleta. Y entonces no pudimos contenernos más y empezamos a reír como locas.

—Deirdre, ¡la esprínter! —exclamó George, caminando a grandes zancadas—. ¡No me lo puedo creer!

—Me importa un comino lo buenos que puedan ser los Jensen —dijo Bess—. Está claro que no nos van a ganar.

—Hablando de los Jensen —dije yo—. ¿Qué os ha parecido el hecho de que sean gemelos? Interesante, ¿verdad?

—¿Qué quieres decir...? —preguntó Bess—. ¡Ah! ¡Tienes razón: son gemelos!

—¿Y? —dijo George, parando en seco.

—¡Géminis! —repitió Bess.

—¿Recuerdas el medallón dorado que encontré bajo el asiento del coche de Ned? —le dije a George.

—¡Claro! ¡Es una prueba!

—Sí —dije yo—. Si podemos relacionar a uno de los hermanos Jensen con ese medallón, tendremos la prueba irrefutable de que uno de ellos estuvo en el coche de Ned. Pero ahora nuestro objetivo principal es la carrera. De momento, concentrémonos en ganarla. Lo mejor que podemos hacer para demostrarle a Deirdre y a su equipo que no nos intimidan sus tretas para mantenernos fuera de juego...

—¡Es llegar los primeros a la línea de meta! —exclamó Bess con convicción.

—Al parecer, el señor Shannon ha hecho una apuesta segura —dijo George en tono burlón, mientras iba recogiendo las sobras de la comida—. Al final no podrá donar sus mil dólares extra, porque su hijita no será la ganadora.

Nos quedaban trece minutos para limpiar la zona del picnic y volver a la carretera. Era fundamental que el relevo empezara a la hora reglamentaria.

Las tres ayudamos a Ned a preparar su bicicleta, y luego él ocupó su lugar al borde de la carretera. Mientras acabábamos de cargar la furgoneta, vimos cómo Evan Jensen también se situaba en su lugar.

Por último, George, Bess y yo subimos a la furgoneta. George se tumbó en el asiento de atrás para dormir la siesta, y Bess y yo teníamos toda la parte delantera para nosotras.

—Adelante —le dije a Bess—. Quiero que nuestra furgoneta llegue antes que la de Deirdre.

—De acuerdo, jefa —me contestó Bess, girando la llave de contacto.

No se oyó más que el clic de la llave. El motor permaneció apagado. Bess volvió a girar la llave. Nada.

—Eh, chicas, ¿qué pasa? —musitó George medio dormida desde el asiento trasero—. ¡Pongámonos en marcha de una vez!

—No hay nada que hacer —dijo Bess, quitando la llave del contacto—. El coche no arranca.

6

CHARLIE TIENE UN SECRETO

—¿Qué es lo que ocurre, Bess? —le pregunté.

—Es algo grave —repuso Bess, bajando enseguida de la furgoneta.

Se dirigió a la parte delantera y abrió el capó. George y yo la seguimos. Eché un vistazo al motor, aunque yo sería incapaz de detectar la avería de una sola ojeada. Bess era la mecánico de nuestro equipo.

—¡Lo sabía! —dijo Bess de inmediato—. Ha desaparecido la tapa del distribuidor.

Bess es un portento para todo lo que se refiere a coches y motores. Y lo más sorprendente es que, por su aspecto, uno diría que no sabe distinguir una tapa de distribuidor de un tapacubos. Pero ella sabe muy bien de qué habla, y si dice que falta la tapa del distribuidor, entonces no hay duda de que ése es el problema.

—Seguro que de eso no tenemos repuesto, ¿no? —dije, y enseguida me dispuse a llamar a Charlie.

La gente se ríe cuando descubre que tengo el teléfono de Charlie Adams grabado en la agenda del móvil. Pero la verdad es que siempre me ha venido muy bien tenerlo a mano. Y precisamente aquel día resultó de lo más práctico.

—Hemos tenido suerte —les dije a las dos—. Charlie estaba en el taller. Ha dicho que vendrá en un santiamén.

Eché un vistazo a mi reloj y añadí:

—Quedan exactamente treinta segundos para la una en punto. Empieza la cuenta atrás para Ned. Será mejor que no le digamos nada de la furgoneta.

—¿No debería estar al corriente? —preguntó Bess.

—No, de momento no hace falta —respondí—. Está a punto de correr su relevo y debe concentrar todas sus fuerzas en ganar a Evan Jensen. No quiero que nada le distraiga de su objetivo.

—Además, de todas maneras, él tampoco puede reponer esa tapa del distribuidor —añadió George.

—Exactamente —dije yo—. Si Charlie llega pronto, podremos salir a la carretera enseguida, y Ned ni siquiera se dará cuenta de que hemos tenido un problema. Y si resulta que nos demoramos más tiempo, ya le llamaremos luego para explicárselo.

Nos fuimos corriendo hasta la carretera. Allí estaba Ned, montado en su bici y aguantando el equilibrio con su pie izquierdo.

—Diecinueve... dieciocho... diecisiete... —pronuncié en voz alta, mirando el segundero de mi reloj.

Al ver a Ned inclinarse sobre el manillar, sentí que me estaban a punto de estallar las sienes. De repente, caí en la cuenta de que lo de la tapa del distribuidor quizá era otra mala pasada de Deirdre y su equipo. Y si nos habían podido hacer eso delante de nuestras narices, también podían haberle hecho algo a la bici de Ned...

Entonces pensé en la víspera. ¿Quién había limado los eslabones de su cadena? ¿Y quién le había desbloqueado el freno de mano del coche para que se precipitara al arroyo? ¿Qué era todo aquello: una simple travesura o un delito? ¿Una jugarreta o una agresión? Y si Deirdre se había salido con la suya hasta ahora, ¿qué más se le podría ocurrir?

—Diez... nueve... ocho...

Dejé de lado cualquier preocupación que pudiera tener por Ned. Él mismo acababa de revisar su bicicleta de arriba abajo y estaba en perfectas condiciones. E incluso Bess había dado su visto bueno. Así pues, todo estaba en orden. Como si me hubiera leído el pensamiento, Ned se giró y me dedicó una sonrisa encantadora, al tiempo que alzaba el pulgar en señal de aprobación.

—Tres... dos... ¡uno!

Ned salió disparado como una flecha y sin mirar atrás. Bess, George y yo también invadimos la carretera, y le despedimos con gritos y aclamaciones para darle ánimos.

Oímos el eco de otros gritos a nuestras espaldas. Me di la vuelta justo a tiempo para ver cómo Evan Jensen se nos acercaba a toda pastilla. ¡Casi se nos echa encima! Empujé a George y a Bess hacia la hierba y salté tras ellas. Unos cuarenta metros más arriba, Deirdre, Malcolm y Thad todavía vitoreaban a Evan mientras corrían hasta su furgoneta.

—¡Ese capullo no se ha apartado ni un milímetro y por poco nos atropella! —gruñó George.

La furgoneta de Deirdre nos adelantó con un gran estruendo. Deirdre, Malcolm y Thad se rieron y nos saludaron con la mano mientras se alejaban.

—Saben de sobras que nuestro coche no arranca —refunfuñó George de nuevo—. ¡Porque ellos nos lo han saboteado!

—Charlie tardará aún un cuarto de hora en llegar —dije—. No puedo soportar quedarme aquí de brazos cruzados, esperando. Voy a echar una ojeada a mi bicicleta.

—Buena idea —afirmó George—. Si han podido manipular la furgoneta, también pueden haber trucado las bicis, como han hecho esta mañana.

Después de decir eso, George se tumbó en la hierba y murmuró:

—¡Qué ganas tengo de que sea mañana por la mañana...! Voy a machacar a ese Thad Jensen...

Descargué mi bici de la furgoneta y empecé a revisarla centímetro a centímetro. Quería asegurarme de que estaba tan preparada como yo para vencer al equipo de Deirdre.

—Bess, llama, por favor, a los organizadores de la carrera y cuéntales lo que nos ha pasado —le sugerí—. Si no, cuando miren nuestro GPS verán que aún no nos hemos movido y se preguntaran por qué.

Bess cogió su móvil y marcó el número. Un segundo más tarde ya estaba hablando.

—Y diles también que tomaremos el atajo para reunirnos con Ned lo antes posible —añadí.

Bess asintió con la cabeza mientras hablaba por teléfono. Cuando terminó, colgó y nos informó a George y a mí.

—No hay problema —dijo—. He hablado con una mujer y le he explicado que Charlie viene hacia aquí y que nos incorporaremos a la carretera en cuanto podamos. Me ha dicho que no es necesario que volvamos a llamar cuando estemos en marcha otra vez; ya lo verán a través del GPS.

También me ha comentado que no nos preocupemos por los atajos, está justificado que los utilicemos.

—Muy bien, ahora sólo quiero hacer una pregunta —dijo George—. ¿Cuál de los miembros del equipo de Deirdre nos ha robado la tapa del distribuidor? Está claro que aún la teníamos cuando aparcamos aquí. Por tanto, el robo ha debido de efectuarse mientras estábamos aquí. Y durante ese rato sólo hemos recibido una visita: la de Deirdre y su banda.

—*Banda* es definitivamente la palabra más adecuada —murmuré entre dientes—. Es verdad que, aparte de ellos, no ha venido nadie más por aquí. Yo no he visto a nadie cerca de la furgoneta, y menos por esta zona.

—¡Pero si han estado con nosotros todo el rato...! —exclamó Bess, perpleja—. Llegaron, hablaron con nosotros y se fueron.

—No, faltaba uno de ellos —afirmé rotunda.

Les recordé a Bess y a George que, después de comer, nos habían visitado Deirdre y los dos gemelos. Malcolm Price no estaba con ellos en ese momento.

—¡Tienes razón, Nancy! —exclamó Bess—. Ese Malcolm es el conductor. Ahora me acuerdo. Al ver que no venía con ellos, supuse que estaría pasando revista a su furgoneta.

—Pues supusiste mal, ya que, por lo visto, lo que hacía era pasar revista a la nuestra —comentó George con sarcasmo.

—No podemos estar seguras de eso, no tenemos pruebas —repuso Bess.

—De todas maneras, es mucha casualidad... —insistió George—. Somos los dos únicos equipos que hemos acampado aquí. Os aseguro que yo ya empiezo a estar harta de todas estas artimañas.

George andaba nerviosa de un lado a otro. Parecía que iba a explotar de rabia en cualquier momento.

—Estoy de acuerdo contigo en que se están pasando de la raya —le dije a George—. De hecho, en mi opinión ya se pasaron de la raya ayer, cuando sabotearon el coche de Ned e hicieron que se cayera en el riachuelo. Pero, a menos que encontremos las huellas dactilares de Malcolm por todo el capó de la furgoneta, no vamos a poder demostrar que ha sido él quien nos ha robado la tapa del distribuidor. Y tengo la impresión de que es demasiado listo como para dejar que sus huellas le delaten.

—Pero a estas alturas ya nos han hecho un montón de malas pasadas. ¿No podríamos denunciarles? Si informamos a la policía de todo lo que nos ha ocurrido, ¿no crees que les parecerá lo suficientemente sospechoso como para interrogarles?

—Es obvio que sí —dije, dándole la razón a Bess—. Y cuando termine la carrera, deberíamos considerar seriamente el hecho de presentar una denuncia oficial de todas estas jugarretas. De todos modos, ahora nuestra obligación es anteponer los intereses de la Fundación Abre tu Corazón a los nuestros.

—¡Hecho! —dijeron George y Bess simultáneamente.

A continuación nos dimos un fuerte apretón de manos para sellar nuestro compromiso. Ganar esta carrera era nuestra misión. Volví a mi bicicleta para realizar los últimos ajustes. Bess siguió revisando la bicicleta de refuerzo, y George acabó de recoger la basura que habíamos dejado tras la comida.

Finalmente Charlie Adams apareció en su camión de emergencias. Justo entonces di por terminada la revisión de mi bici. Como siempre, estuve muy contenta de verle. Nos saludó efusivamente al girar para desviarse de la carretera y llegar hasta nuestra furgoneta.

—Hola, Nancy. Así que tenéis problemas otra vez, ¿eh? —nos preguntó con una sonrisa cariñosa.

—No sabes lo contenta que estoy de que puedas ayudarnos, Charlie —le dije agradecida—. Necesitamos reunirnos con Ned lo antes posible. No me gusta estar tan lejos de él, si nos necesitara... Por cierto, ¿has traído una nueva tapa del distribuidor? Tiene que ser una que nos garantice que ganaremos la competición, ¿eh? —le dije ahora en broma.

—Bueno, no sé si tengo de ésas. De todas maneras, yo por si acaso llevo varias en el camión. Seguro que alguna de ellas funcionará. Te lo prometo.

Charlie y Bess se dirigieron a la parte delantera de la furgoneta. George y yo cargamos mi bici en la parte trasera y la dejamos bien sujeta al soporte. Luego volvimos con Charlie y Bess. Yo quería hacerle unas cuantas consultas a Charlie.

Bess estaba intentando encajar una tapa en el distribuidor, pero al parecer no tenía el tamaño adecuado. Charlie sostenía dos tapas más en la mano. Cuando vio que me acercaba a él, escondió la cabeza bajo el capó, como si quisiera escapar de mí.

—¿Qué me cuentas de la carrera, Charlie? ¿Cuáles son las últimas noticias? —le interrogué—. Seguro que estás al corriente de todo lo que ha pasado. ¿Hay alguna novedad? ¿Algo que no sepamos?

Charlie levantó la cabeza y me miró, luego rápidamente desvió la mirada. Después miró a George, y por último al suelo. Parecía nervioso e incómodo con la situación.

—Pues... sí, hay algo. Pero no os lo puedo contar —respondió finalmente.

Tenía la mirada aún clavada en el suelo.

Bess también sacó la cabeza de debajo del capó y dijo:

—Esta tapa tampoco encaja. Charlie, por favor, déjame probar las otras.

Charlie le alargó las otras dos tapas. Me sonrió débilmente y se giró para observar a Bess.

—Apuesto a que todo el mundo dice que nuestro equipo es el mejor —dijo George.

—Mmmm, mmm... —musitó Charlie.

—Charlie —le dije en mi tono de voz más suave e inofensivo—, ¿qué es lo que no puedes decirnos?

—Nancy, esta vez no puedo. Te lo aseguro. Es algo muy gordo... y el tipo que me lo contó me hizo jurar que no diría nada.

Su voz producía un leve eco, puesto que Charlie se negaba a retirar la cabeza de debajo del capó.

—Pero, Charlie, si ya sabes que yo no se lo explicaré a nadie —le dije, dándole un golpe suave con el codo—. No hay nada en el mundo más sagrado que el vínculo de confidencialidad que se establece entre un detective y su informante. Yo jamás en la vida osaría decirle a nadie que me facilitaste información confidencial. Además, que yo sepa, nunca he traicionado tu confianza, y te aseguro que no tengo ninguna intención de empezar ahora.

—Y ¿qué hay de ellas? —comentó Charlie en voz muy baja.

Se refería, naturalmente, a George y a Bess, pero yo actué como si ni siquiera estuvieran ahí.

—Charlie, ellas no sólo son parte de mi equipo ciclista, sino también miembros de confianza de mi equipo de trabajo. Están tan obligadas como yo a proteger tu intimidad.

—Está bien —dijo casi en un susurro —, pero esto es gordo, Nancy, muy gordo. El tipo que me lo contó está enterado de todo.

Estuve a punto de lanzarme al cuello de Charlie y de arrancarle las palabras con mis propias manos. A veces intentar obtener información de Charlie es como intentar sacar al gato de debajo de la cama para llevarlo al veterinario.

—Está bien —dije en voz baja— ¿Qué ha ocurrido?

Aguanté la respiración esperando la respuesta de Charlie, y mientras tanto noté que mis mejillas estaban enrojeciendo.

—Se trata del dinero —dijo Charlie finalmente—. De los donativos para la carrera benéfica «En bici por solidaridad».

Entonces Charlie sacudió la cabeza y sus ojos se abrieron como platos.

—¿Qué ha pasado con el dinero? —pregunté con impaciencia, aunque intuía cuál sería la respuesta.

—Que ha desaparecido —comentó—. Ha desaparecido todo.

7

CAMBIO DE MARCHA

—¿Quéeeee? —gritó Bess, rompiendo la tensión de los últimos minutos—¿Desaparecido? ¿Qué quieres decir?

—Que alguien lo ha robado. Eso es lo que ha pasado —sentenció Charlie con una expresión muy seria. Luego respiró hondo y dio un suspiro. A partir de ese momento, nos lo contó todo sin tapujos:

—Cuando el dinero se depositó de nuevo en el banco, los guardas de seguridad tenían la obligación de recontarlo. Pero al abrir la caja cerrada, todo lo que encontraron fueron retazos de papel de periódico. No había ni rastro del dinero. ¡Simplemente se había esfumado!

—Recuerdo perfectamente la gran caja de caudales que contenía el dinero —dije—. El señor Holman la abrió delante de todo el mundo para mostrarnos el dinero.

—Así es —corroboró Charlie—. Yo también estaba allí. Quería presenciar el comienzo de la carrera. Y además sabía que nos mostrarían el dinero recaudado.

—Que es mucho. Estamos hablando de una gran cantidad de dólares —añadió George—. De miles, de decenas de miles de dólares.

—Para mí, ése fue el primer error —opinó Charlie—. Si muestras todo ese dinero a la gente, seguro que habrá alguien que querrá hacerse con él.

—Ahora que lo dices, había un hombre con una bicicleta de montaña...

—¿Hablas del tipo ése de los pantalones rojos? —me interrumpió Bess enseguida.

—Exacto —contesté—. ¿Tú lo viste, Charlie? ¿Sabes quién es?

—No recuerdo haberlo visto —respondió Charlie—. Pero supongo que no pretendía participar en esta carrera con una bicicleta de montaña, ¿no?

—Lo único que sabemos seguro es que no ha participado en el primer relevo —declaró George—. Pero podría formar parte de alguno de los equipos.

—Cuando el señor Holman descendió de la tarima tras haber abierto la caja de caudales, el hombre de los pantalones rojos se acercó hasta allí y subió a la tarima de un salto —le expliqué a Charlie—. Mostró un interés inusitado por el dinero y no paró de dar vueltas alrededor de la caja fuerte.

—¿Y dónde estaba el guarda de seguridad cuando ese hombre subió a la tribuna? —preguntó Charlie con cierta desaprobación.

—El agente Rainey estaba distraído y no lo vio subir al principio. Pero cuando se dio cuenta, lo echó enseguida. De hecho, lo más increíble es que se atreviera a subir allí con ese descaro.

—¿El señor Holman vio lo que pasó? —preguntó Charlie—. Porque no creo que le hiciese mucha gracia...

—Lo cierto es que no tengo ni idea —repuse—. Él volvió a la tarima poco después, y entonces fue cuando él y el agente Rainey se llevaron la caja de caudales. Faltaba ya muy poco para comenzar la carrera.

—Correcto —dijo Charlie—. Yo les vi empujar esa especie de plataforma. La verdad es que la caja fuerte debía de pesar lo suyo.

—Los ladrones no tocaron la caja —dije en voz muy baja para mis adentros. Intentaba imaginar cómo lo hicieron—. Sólo se llevaron el dinero.

—Pero, ¿en qué momento?, ¿cuándo lo robaron? —preguntó Bess.

—Ésa es la pregunta del millón —contestó Charlie—. Cuando abrieron de nuevo la caja para hacer el recuento del dinero, no encontraron más que papel de periódico.

—Todos esos montones de dinero... desaparecidos —dijo Bess moviendo la cabeza en señal de incredulidad, mientras seguía probando las tapas que había traído Charlie.

—Así pues, el robo tuvo lugar entre el momento en que se llevaron la caja cerrada de la tarima y el instante en que volvieron a abrirla para contar el dinero —dije yo, todavía pensando en voz alta.

Charlie empezó a caminar arriba y abajo, como si se estuviera poniendo nervioso por habernos contado lo ocurrido.

—La policía no quiere que esto se haga público, lo están manteniendo en estricto secreto —dijo Charlie, mirando cautelosamente alrededor, como si alguien pudiera estar escuchándonos—. Recordad que me habéis prometido no decirle a nadie que yo os lo he contado.

—Estoy segura de que están intentando por todos los medios recuperar el dinero antes de que termine la carrera —observé—. Si eso se sabe, los participantes y sus seguidores se desanimarán y perderán totalmente la motivación, ya que el objetivo principal de todo este acontecimiento es precisamente el dinero que están recaudando para fines benéficos.

—Para la Fundación Abre tu Corazón, claro —dijo Charlie, asintiendo con la cabeza—. Sería una auténtica lástima que ese dinero se perdiera para siempre.

—¿Y cómo te enteraste del robo? —le pregunté.

—Me llamaron para remolcar un coche que había sufrido un recalentón del radiador, y resultó que pertenecía a alguien que está trabajando para la carrera —explicó Charlie—. ¡Vaya, ahora que lo pienso, si era el coche del agente de seguridad, del tal Rainey! El que estaba junto al señor Holman encima de la tarima. No me extraña que estuviera tan desesperado.

—¿Crees que el agente Rainey trabaja para el banco? —pregunté—. ¿O que lo han contratado los organizadores de la carrera como un servicio de seguridad privado?

—Pues no lo sé —respondió Charlie—. Pero yo lo he visto a menudo por el pueblo.

—¡Ya lo tengo! —gritó Bess triunfante—. Esta tapa funciona.

Bess entró de un salto en la furgoneta. Y yo di un profundo suspiro cuando oí cómo arrancaba el motor.

—Tengo que volver al pueblo —nos dijo Charlie—. Que tengáis mucha suerte, chicas. ¡Sois mi equipo favorito!

Charlie subió a su camión, arrancó y nos saludó con la mano.

—¡Y recordad: yo no os he dicho nada del dinero robado! —gritó desde la ventana mientras se alejaba.

—¡Vámonos! —dijo George entrando en la furgoneta.

—Yo no puedo —les dije—. Debemos cambiar de estrategia. Y tiene que ser ahora mismo.

Bess y George bajaron de la furgoneta y vinieron hacia mí. Tan pronto hube ideado el nuevo plan, empecé a hablar.

—Veréis, han descubierto que el dinero había desaparecido en algún momento de las últimas tres horas. Imagino que la policía habrá instalado controles de carretera en todas las calles de salida de River Heights, y supongo que también habrá agentes vigilando la zona del río.

—¿Qué nos quieres decir? —preguntó Bess.

—Si alguien pretendía salir del pueblo con todo ese dinero, seguro que a estas horas ya lo habrían atrapado, y el dinero estaría otra vez en el banco.

—Y Charlie ya se habría enterado —señaló George.

—Exactamente. Sea quien sea ese ladrón, es lo suficientemente listo como para esperar y no intentar escapar hasta estar seguro de que se saldrá con la suya.

—Crees que se esperará a la noche, ¿no? —dijo Bess.

—Sí, eso es justo lo que estoy pensando —le contesté.

—En ese caso, el dinero aún está en algún lugar de River Heights —concluyó George.

—Lo que significa que todavía tengo la posibilidad de encontrarlo y devolverlo a sus legítimos dueños antes de que termine la carrera —les dije—. Al menos debo intentarlo.

—Espera un momento —dijo George—. ¿Nos estás diciendo que abandonas la competición?

—Sí. Tengo que hacerlo —respondí—. Volveré al pueblo con la bici extra que hay en la furgoneta. Y vosotras dos y Ned podéis continuar con la carrera. Bess tendrá que utilizar mi bicicleta porque lleva el GPS.

—Nancy, te ayudaremos en todo lo que haga falta para resolver el caso —dijo Bess.

Bess es así: siempre está dispuesta a echar una mano.

—Ya sé que me he pasado el día diciendo que debíamos concentrarnos en la carrera —dije, intentando justificarme—. Y sigo pensándolo. Además, según las normas, no puede haber más de tres corredores en un equipo. Pero no hay ninguna norma sobre quién conduce el camión y quién monta en bici. Nosotros habíamos cargado una bicicleta de más en caso de emergencia. Y esto es definitivamente una emergencia.

—¿Así que quieres que haga tu relevo y que conduzca la furgoneta? —preguntó Bess un poco confusa.

—Todos podéis correr y todos os podéis turnar para conducir la furgoneta. Bess, tú correrás mi relevo de esta tarde, después de Ned. Y si mañana por la mañana aún no he vuelto, nos organizaremos de manera que el más fuerte corra el último relevo.

—¡Pero si la más fuerte eres tú! —exclamó Bess—. Es a ti a quien necesitaremos.

—Haré todo lo posible por estar de vuelta mañana por la mañana, antes del relevo de las diez —prometí—. Hasta entonces debéis esforzaros al máximo. Al fin y al cabo, la idea es cumplir con nuestros compromisos.

—¿Estás segura de que no quieres que te ayudemos con el caso? —me preguntó George—. Si me necesitas, puedo renunciar a correr...

Era una oferta muy generosa de su parte. George ha hecho deporte prácticamente desde que empezó a caminar, y es una de las mejores competidoras que conozco. Por eso sé que para ella significaba un gran sacrificio renunciar a la carrera para echarme una mano con el caso. De todos modos, no era necesario, así que sonreí y negué con la cabeza.

—¿Y qué hacemos con Ned? —dijo Bess—. ¿Creéis que deberíamos llamarle ahora mismo y contarle que hemos cambiado los planes?

—Quizá deberíamos esperar a las tres, cuando hagamos el cambio de relevo —propuso George.

—No, será mejor que le llame yo ahora —decidí en aquel momento—. No quiero hacerle perder la concentración por nada del mundo, pero si ve que a las tres es Bess y no yo quien toma el relevo, se va a sentir aún más desconcertado. Lo primero que pensará es que me ha ocurrido algo malo.

—Tienes razón —dijo George—. Además, son las dos menos cuarto. Seguro que a estas horas ya se ha dado cuenta de que no le hemos seguido, y lo más probable es que se esté preguntando si tenemos algún problema. Le tranquilizará oír tu voz y saber qué nos ha pasado.

—Nancy, llámale mientras nosotras descargamos la bici de atrás. Y lo mejor será que le dé un repaso rápido, por si las moscas.

—Yo conduciré la furgoneta lo que queda del relevo, así Bess podrá descansar un poco —dijo George—. Decidme dónde está Ned exactamente para que podamos reunirnos con él lo antes posible.

El recorrido de la carrera nos llevó por un camino realmente tortuoso, con montones de eses, curvas cerradas y cambios de rasante. Este tramo era especialmente difícil de seguir, y se había elegido a propósito como una de las pruebas más duras de la carrera. Sin embargo, pasando por carreteras de montaña más rectas, George podría atrapar a Ned más rápido.

Busqué mi móvil y marqué el número que me conectaría al teléfono móvil situado detrás del sillín de la bici de Ned.

George había instalado el teléfono móvil en las bicicletas con un botón de control a distancia enganchado al manillar y una unidad para la oreja y la boca que se adaptaba a nuestros cascos. Al sonar el teléfono, no haría falta coger el teléfono de detrás del sillín para poder hablar; simplemente pulsando el botón del manillar ya podríamos oír la voz de nuestro interlocutor. La pieza para hablar estaba sujeta a la correa del casco, así ni tan sólo tendríamos que manipular eso. George montó todo el sistema siguiendo el que usan los pilotos de coches de carreras.

Me alegró mucho oír la voz de Ned. Al menos uno de los miembros de nuestro equipo estaba bien encaminado. En sólo un par de minutos le conté toda la historia, y el nuevo plan que había decidido seguir.

—¿Seguro que no vas a necesitar ayuda? —me preguntó. Noté por su voz que estaba preocupado, y eso me hizo sentir querida y protegida.

—Tranquilo, estaré bien. Y estaré aún mucho mejor cuando sepa que el dinero está otra vez a salvo y donde debe estar.

—Así pues, a las tres en punto le pasaré el relevo a Bess —dijo—. La verdad es que ya tenía ganas de ver tus ojos azules; ya los echo de menos.

A veces Ned sabe exactamente lo que debe decir.

—Vaya... Bueno, de todas maneras, Bess también tiene los ojos azules —le recordé.

—Es verdad..., también los tiene azules —comentó riéndose.

—Veo que estás de muy buen humor. ¿Por dónde andas? —le pregunté desplegando un mapa del trayecto de la carrera.

—Me estoy aproximando a las colinas, cerca de Berryville.

—¡Perfecto! Entonces la furgoneta te esperará al otro lado de la carretera. Y es muy posible que Bess consiga llegar a Swain Lake a las cinco en punto; o al menos llegará cerca de allí, quizá a la orilla del río.

—Me parece fantástico. Nancy, cuídate mucho, ¿me oyes? Resuelve el caso, devuelve el dinero y reúnete con nosotros en Swain Lake a la hora de la cena.

—¡Hum!... Eso es mucho pedir, ¿no? Si no estoy allí esta noche, te haré una llamada. Cuídate tú también; un beso.

Lo cierto es que no tenía ningunas ganas de colgar, pero en aquel momento los dos teníamos asuntos más importantes que atender. Así que imágenes idílicas del tipo Ned y yo contemplando juntos la luna llena reflejada en las aguas del lago debían archivarse para otra ocasión.

—Tu bicicleta está en perfectas condiciones —me informó Bess mientras hacía rodar las ruedas—. Como también es una especie de híbrido, podrás circular tanto por carretera como por cualquier sendero de montaña. Te he colocado la mochila y algo de comida en las alforjas. Y también he cogido tus tejanos y tu camiseta, por si no tienes tiempo de volver a casa a cambiarte de ropa.

Le di las gracias a Bess y le mostré a George en el mapa dónde se encontraba Ned y dónde le había dicho que le esperaría la furgoneta. A continuación me puse el casco y los guantes.

—Muy bien, equipo, ¡a por ellos! —grité al montar en la bicicleta.

—¡Y tú también! —respondió Bess al subirse a la furgoneta.

George y yo salimos a la carretera al mismo tiempo, ella giró a la izquierda y yo a la derecha.

8

EL LEGENDARIO ATRACO
DE RIVER HEIGHTS

Pedaleé todo el camino hasta River Heights, pero tomé todos los atajos que conocía; yendo a través de prados y pequeñas carreteras secundarias no son más que unos cuantos kilómetros. Me dirigí al centro y a la línea de meta, justo en la intersección entre Highland Boulevard y Main Street.

Consideré por un momento la posibilidad de ir a casa a cambiarme de ropa, ya que no quería llamar demasiado la atención. He vivido en River Heights toda mi vida y, por un motivo u otro, aquí me conoce mucha gente. E incluso aquellos que no me conocieran se fijarían inevitablemente en alguien paseándose por el centro del pueblo en ropa de deporte precisamente el día de la competición. No quería que nadie supiera que había abandonado la carrera, sobre todo porque no quería que nadie supiera por qué.

Justo entonces me acordé de que Bess había guardado mis tejanos y mi camiseta en las alforjas, así que en lugar de ir hasta mi casa, decidí acercarme al despacho de mi padre, que está en el centro, y allí asearme y cambiarme de ropa.

Continué pedaleando desde las afueras del pueblo hasta Highland Boulevard. El despacho de abogado de mi padre se encuentra en el mismo Highland Boulevard. A veces está abierto los sábados, pero aquel día estaba cerrado por la carrera y porque mi padre estaba fuera, en viaje de trabajo.

Yo tenía mi propia llave, por supuesto. Abrí la puerta de atrás y metí la bicicleta. Tardé unos minutos en lavarme y asearme. No me quité ni los culotes ni la camiseta, sino que me puse los tejanos y el otro jersey encima. Estaba algo acalorada, pero un poco de sudor no le hace daño a nadie.

Cogí la mochila rápidamente, cerré el despacho de mi padre con llave y me marché. Recorrí a pie la calle Highland hasta la esquina con Main Street. Este cruce no sólo era el punto de partida y llegada de la carrera, sino que era el lugar en que el señor Holman nos había enseñado la caja fuerte con el dinero de las donaciones.

Al principio me di una vuelta tranquilamente por la zona del pequeño parque. Fingía leer los titulares de los periódicos en el quiosco, aunque en realidad estaba observando la actividad que había alrededor del banco, al otro lado de la calle. No había mucha gente, sólo unas pocas personas paseaban por allí. La mayoría de las tiendas estaban cerradas; con todas las calles cortadas a causa de la carrera, no tenía demasiado sentido que los comercios estuviesen abiertos.

Quise echar una ojeada a la zona cercana a la línea de salida y de llegada, pero me fue imposible. Dos agentes de policía uniformados y al menos tres detectives fácilmente reconocibles vestidos con ropa de paisano aún estaban buscando alguna pista, tanto en el escenario que se había improvisado como en las tribunas que se habían instalado para el fin de semana. Era obvio que todavía no habían encontrado al ladrón y que del dinero tampoco había ni rastro.

Crucé la calle y pasé por delante del banco. No me sorprendió que estuviera cerrado. Lo hubiera estado aunque no se hubiera cometido ningún robo, ya que siempre cierran los sábados por la tarde, y ya eran las tres.

Al parecer, nadie me reconoció ni me prestó la más mínima atención. Me acerqué a las ventanas del banco y miré dentro. Había mucho movimiento en el interior del banco. Los cajeros contaban dinero en sus mesas y los agentes de policía interrogaban a los guardas de seguridad. Había otros empleados que revisaban papeles; imaginé que serían las listas con los donativos entregados, donaciones de dinero que se habían esfumado.

En la esquina, el señor Holman y el agente Rainey estaban junto a la antigua caja de caudales. La puerta de la caja estaba abierta, exactamente como había estado esa misma mañana antes del inicio de la carrera, con la diferencia de que ahora la caja estaba vacía.

Volví a cruzar la calle y me dirigí al pequeño parque. Por lo que se refiere a actividad, el parque era justo lo contrario del banco. Un par de abejorros enormes revoloteaban alrededor de las petunias, y un cardenal rojo muy bien alimentado descansaba en medio de una pila para pájaros. Ni siquiera se molestaba en agitar las alas para fingir que se estaba bañando. Simplemente estaba dormitando, con la cola dentro del agua.

Desde un banco de madera muy gastado se obtenía una

vista perfecta de la puerta principal del banco. Tenía muchas ganas de hablar con el agente Rainey, puesto que él era quien había estado vigilando el dinero. Pero, ¿cómo podría acercarme a él?

Me senté un rato en el banco, contemplando aquel cardenal que parecía una gran roca roja en medio de la pila. Por mi mente pasaban constantemente imágenes de la caja fuerte, del señor Holman y el agente Rainey y del hombre de los pantalones rojos.

Consideré por unos instantes acudir a la comisaría de policía. Allí mi contacto principal es el jefe de policía, el inspector McGinnis. No se puede decir que seamos exactamente amigos, pero es algo más que un conocido. Supongo que la palabra que mejor le describe es colega. Muy a menudo nos encontramos trabajando en el mismo caso, aunque utilizamos métodos totalmente distintos; por tanto, nuestros resultados también suelen diferir mucho.

Mientras sopesaba las ventajas y los inconvenientes de hacerle una visita al inspector McGinnis, me encontré por casualidad con un amigo en el parque.

—¡Luther! —le saludé.

Me siento siempre muy feliz cuando paso unos minutos con Luther, porque gracias a él siempre aprendo algo nuevo. Y a veces no me doy cuenta de que he aprendido algo hasta pasado algún tiempo.

—¡Hola, Nancy! —Luther me devolvió el saludo esbozando una sonrisa—. A ver, ¿por qué no me sorprende encontrarte aquí, y no compitiendo allá fuera montada en la bici?

—¿Quizá porque me conoces demasiado bien? —contesté con una gran sonrisa.

Aunque Luther me dobla la edad e incluso podría ser mi padre, siempre nos hemos tratado simplemente como buenos amigos.

—Así pues, dime —continué—: ¿por qué no estás nada extrañado de ver que no participo en la carrera?

—Porque el mismo día de la carrera se ha cometido un delito importante —declaró Luther. Sus ojos azules brillaban.

—Veo que ya te has enterado del robo de los donativos —dije asintiendo con la cabeza.

—Sí, y supuse que te encontraría en el centro, donde está la acción. Además, hace un día ideal para venir al parque.

—La verdad es que parecía el lugar más adecuado para empezar a indagar, pero ahora ya no estoy tan segura. Mi intención es hablar con el señor Holman o con el agente Rainey, el guarda de seguridad que custodiaba los donativos esta mañana. Sin embargo, tengo la sensación de que la policía los tiene secuestrados dentro del banco.

—¡Esperemos que no! —comentó Luther con otra sonrisa.

No pude hacer otra cosa que devolverle la sonrisa.

—Bueno, no tendría mucho sentido... De hecho, están montando guardia delante de una caja vacía...

—¿Sabes que...? —dijo Luther.

Me encanta que Luther empiece una frase con «¿sabes que...?», porque casi siempre se trata de algo que no sé.

—... pues que este robo me recuerda mucho al famoso y mítico atraco de River Heights —prosiguió.

Yo también conozco la leyenda. Todos los habitantes de River Heights la hemos oído más de un millón de veces. Pero Luther es indiscutiblemente la persona que mejor conoce la historia de nuestro pueblo. Es un auténtico experto, y sabe un montón de detalles y secretos que nunca aparecerían en los libros de historia.

—Sabes quiénes fueron los gángsters de la banda Rackham, ¿verdad? —me preguntó.

—«Antes incluso de que el asentamiento tuviera un nombre» —dije parafraseando el folleto turístico de bienvenida a River Heights— «un gran barco a vapor llegó por el río cargado con una enorme cantidad de dinero que había de servir para comprar yunques Mahoney. Pero la noticia se propagó y la banda Rackham robó el dinero.»

—Te mereces un sobresaliente en cultura general —me comentó Luther—. Y ahora cuéntame algo que no sea tan obvio.

—Vamos a ver..., recuerdo que un día me enseñaste el sitio exacto donde tuvo lugar el robo —le dije.

Lo cierto es que fue realmente emocionante. De alguna manera, casi pude sentir que la historia cobraba vida a medida que Luther me describía minuciosamente todos los detalles de aquel legendario robo. Era como si River Heights tuviera su propia historia de piratas.

—¿Qué más...? —dije a continuación—. ¡Ah, sí! También recuerdo que cuando Lucia Gonsalvo encontró aquella moneda de oro el año pasado, pensó que provenía del tesoro de algún barco hundido, en cambio tú demostraste que pertenecía al botín de la banda Rackham.

—Estoy impresionado —dijo Luther.

—Pero, un momento, ¿por qué estamos hablando de la banda Rackham? —le pregunté—. Creo que algo se me escapa...

—Pues bien, como te he comentado antes, a mi entender el robo cometido esta mañana al otro lado de la calle es muy parecido al que perpetraron los gángsters de la banda Rackham hace un siglo.

—¿En qué sentido?

—Por lo visto, aquella banda también desapareció sin dejar rastro. Se les vio antes del robo, pero después ya nadie volvió a verlos en River Heights.

—Me contaste que escaparon por el Muskoka. Dejaron una embarcación esperándoles río abajo.

—Así es —me confirmó Luther—. El sheriff mantuvo el río bajo vigilancia, pero, a menos que coloques una persona aproximadamente cada veinte metros, es del todo imposible controlar todos los puntos en los que se puede amarrar un bote, y más aún de noche. Los de la banda decidieron esconderse hasta que se hizo de noche. Y entonces fue cuando escaparon con el botín a través del Muskoka.

—¿Estás insinuando que el ladrón actual pretende escapar de la misma manera?

—Estoy convencido de que ya te encargarás tú de averiguarlo —me dijo Luther, dándome unas palmaditas en la espalda—. Eres una chica lista.

Mientras Luther se alejaba del parque, vi cómo el gran cardenal rojo sacudía sus alas empapadas y emprendía el vuelo. Me quedé observando aquel magnífico pájaro hasta que se desvaneció en la intensa luz de la tarde. Y entonces repasé mentalmente la conversación que acababa de tener con Luther.

De repente me vino a la cabeza la imagen de esa misma mañana, en la línea de salida, cuando un extraño en pantalones cortos del color de las plumas de un cardenal también pareció desvanecerse sin dejar rastro.

«Tengo que hablar con el guarda de seguridad», me dije a mí misma. «Él también vio a Pantalones Rojos. De hecho, él le advirtió de que se alejara de la caja de caudales. Seguro que lo ha incluido en la lista de sospechosos.»

Crucé de nuevo la calle y me dirigí al banco. Volví a mirar por la ventana. Al parecer la actividad había bajado un poco, y ya nadie vigilaba la caja fuerte vacía. Casi todo el mundo había desaparecido. Y no pude ver ni al señor Holman ni al agente Rainey.

Paseé otra vez con toda tranquilidad por la zona de Highland Boulevard y volví a recorrer el callejón que llevaba a la parte trasera del banco. Un par de coches de policía bloqueaban ambos extremos del callejón. Luego había otro coche negro, también perteneciente al cuerpo de policía, que estaba aparcado más o menos a medio camino, cerca de la puerta de atrás del banco.

No vi a nadie en el callejón, pero era de esperar que alguien estaría vigilando la puerta trasera del banco. Tenía la esperanza de que fuera alguno de los policías de River Heights que conozco; es decir, alguien que estuviese dispuesto a responder a mis preguntas sobre el robo. He trabajado con algunos agentes del pueblo en casos anteriores (de manera estrictamente extraoficial, por supuesto). Deseaba con todas mis fuerzas que fuera el jefe de policía McGinnis.

Entré sigilosamente en el callejón, esquivando el coche que bloqueaba la entrada. Eran las cuatro y media de la tarde, y el sol daba de lleno en el edificio del banco. El callejón me hizo pensar en un edredón de retales blanco y negro, ya que había partes iluminadas con una luz muy brillante y partes de sombra, tan negras como la piel de una pantera.

Al apartarme del calor del sol, un escalofrío me recorrió la espalda. No había nadie a la salida del banco. Acerqué la oreja a aquella fría puerta metálica, pero no pude oír absolutamente nada desde el otro lado.

La puerta no tenía ningún tipo de pomo ni de palanca. Pero empotrado en la pared contigua había un pequeño mecanismo con una ranura en medio, lo cual significaba que los empleados entraban con tarjetas de identificación magnéticas.

Levanté el brazo, y sólo con las yemas de los dedos le di un ligero empujón a la puerta. Cuando vi que la puerta se desplazaba lentamente hacia adelante se me cortó la respiración. Inmediatamente después oí que alguien gritaba a mis espaldas:

—¡Nancy Drew!

9

LUZ VERDE, LUZ ROJA

—¡Nancy, no me digas que ahora a lo que te dedicas es a robar bancos!

Reconocí esa voz enseguida.

—Inspector McGinnis —dije. Me di la vuelta y le sonreí con una de mis más irresistibles sonrisas. Lo cierto es que no sabía bien qué pensar del hecho de habérmelo encontrado de esa manera. Por un lado me alegré, puesto que normalmente me facilita algún tipo de información, pero, por otro, no me hizo ninguna gracia que me hubiera encontrado fisgoneando en la puerta trasera del banco. Se enfada conmigo cuando considera que me estoy inmiscuyendo en su territorio.

Decidí que la mejor defensa es un buen ataque.

—¡Qué contenta estoy de haberle encontrado! Le he estado buscando por todas partes. Y al final pensé que podría haber vuelto aquí.

Bueno..., tampoco era mentira del todo, ¿no?

—¡No me digas! —exclamó, haciendo una larga pausa entre las tres palabras. Yo le había dedicado una de mis mejores sonrisas, en cambio él me recibió frunciendo el entrecejo de forma muy ostensible, lo que aún era más patente teniendo en cuenta, además, sus espesas cejas oscuras.

—Me parece más bien un allanamiento de morada.

—¡Guau, inspector! —dije yo—. Debe usted resolver este caso tan complicado, por lo que seguramente tendrá mil cosas en la cabeza, y, con todo, ¡aún está de humor para bromas! Es increíble —concluí con otra sonrisa.

No dijo nada, pero por la expresión de su cara supe que mi cumplido le había halagado. Y tuve la impresión de que se relajaba al menos un poquito. Sin embargo, un segundo después ya volvía a fruncir el ceño.

—¿De qué caso estás hablando? —me preguntó—. ¿Y cómo te has enterado?

—¿Cómo me he enterado de que el dinero donado ha sido robado? Bueno, la verdad es que lo he oído decir en el pueblo... a más de una persona. Tenía la esperanza de que usted podría contarme realmente lo que ha ocurrido.

—No, no puedo —me dijo con firmeza, interponiéndose entre la puerta del banco y yo misma. El inspector McGinnis es unos quince centímetros más alto que yo y es muy corpulento; de hecho, el perímetro de su cintura es mucho mayor que el de su pecho. Es decir, que actuó de manera muy efectiva como una auténtica barrera, bloqueándome el acceso al banco.

—¿Porque no quiere o porque no puede? —pregunté yo—. ¿Tiene alguna pista, algún sospechoso? ¿O todavía no ha averiguado nada?

—Mira, niña, no pienso decirte nada. ¡Eso es lo que hay! —me espetó malhumorado.

—¿Y qué me dice del agente Rainey? —le pregunté—.

Él debería de ser una buena fuente de información. ¿Qué contestó cuando le interrogó?

—No me lo puedo creer —dijo entonces el inspector McGinnis, sacudiendo la cabeza—. Aunque después de todos estos años no debería sorprenderme que sepas tantas cosas del caso. ¿Por qué estás aquí? Dime la verdad.

—La verdad es que he venido porque quería hablar con usted, con el agente Rainey y con el señor Colman —repuse con rotundidad.

—Muy bien, pues. Conmigo ya has hablado. Uno de tres, no está mal. Me sabe mal que no puedas hablar con el agente Rainey, y mucho menos con el señor Holman.

—¿Por qué mucho menos con el señor Holman?

—Nancy, nuestra entrevista ha terminado. Vamos, te acompañaré a la salida del callejón.

Apoyó la mano ligeramente sobre mi espalda y me empujó amablemente para que me alejara del banco. A medida que caminábamos por el estrecho callejón, intenté una vez más obtener alguna pizca de información.

—Dígame sólo esto, por favor —le pregunté—. ¿Contrataron ustedes al agente Rainey? Quiero decir si fue designado por el departamento de policía de River Heights, o bien le contrató el banco por su cuenta, o fueron los organizadores de la carrera.

—Trabaja para una empresa privada —respondió el inspector McGinnis— contratada por la junta directiva de «En bici por solidaridad».

—La señora Mahoney es la presidenta de esa junta y mi padre uno de los miembros.

—Exactamente —replicó McGinnis.

Mientras hablábamos, él me iba empujando callejón

abajo. No es que me forzara, pero la forma en que caminaba me obligaba a seguir en esa dirección. O me dirigía al final de la callejuela, o me empotraba contra la pared de ladrillos. Me sentí como una oveja custodiada por un perro ovejero, de esos que guardan los rebaños y mantienen a raya a las ovejas descarriadas.

—Y si no me equivoco, Ralph Holman es el tesorero de la junta directiva de la carrera —dije—. Lo cual es lógico, ya que es banquero de profesión. Y, por supuesto, era el responsable del dinero durante la competición y durante el robo. ¿Le han interrogado sobre el robo? ¿Qué ha dicho?

—De momento, no mucho —repuso el inspector de policía—. Pero esperamos que eso cambie.

—¿Está insinuando que está en la lista de sospechosos?

—Estoy diciendo sólo lo que oyes.

De vez en cuando, el inspector McGinnis habla así, con cierto aire de prepotencia. Y entonces tengo la sensación de que ha visto demasiadas películas de policías y ladrones.

—Supongo que también habrán interrogado al agente Rainey... Teniendo en cuenta que fue contratado precisamente para evitar que sucediera algo tan desastroso —me aventuré a decir.

—Por supuesto —me contestó.

—¿Mencionó a un hombre joven que iba en pantalones cortos de color rojo? Él mismo lo echó prácticamente de la tarima, porque el tipo subió allí y se acercó demasiado a la caja fuerte abierta. Además, llamaba mucho la atención porque llevaba una bicicleta de montaña.

—Pues ahora mismo no lo recuerdo.

Una de las cosas más frustrantes de tratar con el inspector McGinnis era justamente ésta: que a menudo él y yo tenemos ideas muy distintas sobre cómo solucionar un caso. Por ejemplo, si yo hubiese interrogado al único guarda de seguridad encargado de custodiar el dinero antes de que fuese robado, seguro que me acordaría palabra por palabra de sus respuestas.

—Yo pensé enseguida que formaba parte de alguno de los equipos participantes, ya que iba en pantalones cortos.

—A ver, corrígeme si me equivoco, cosa que harás sin duda —continuó el inspector McGinnis—. ¿Esta mañana no había un montón de gente pululando por aquí en pantalones cortos y con bicicletas?

—Sí, pero este tipo era diferente. La suya era una bicicleta de montaña, eso para empezar. Y además, no era del pueblo. Yo no lo había visto nunca.

—Nancy, hay varias personas de fuera participando en la carrera. Y contrariamente a lo que pueda pensar la gente, es totalmente imposible que conozcas a todos los habitantes de River Heights.

Creo que, por primera vez en toda nuestra conversación, el inspector McGinnis sonrió de verdad.

Ya estábamos casi a medio camino del final del callejón cuando oí gente hablando detrás de nosotros. Me giré justo a tiempo de ver a dos agentes de policía vestidos de paisano escoltando a Ralph Holman. Salían del banco y se encaminaban al coche negro de la policía.

—¡Va esposado! —le susurré al inspector McGinnis—. ¡Han esposado al señor Holman!

—Así es, le han puesto las esposas —dijo el inspector con toda serenidad—. Ahora haz el favor de marcharte de aquí, y no digas ni una sola palabra de lo que has visto. Si la gente se entera antes de que nosotros lo hagamos públi-co, sabré que has sido tú quien se ha ido de la lengua. Y en-tonces, te aseguro que nunca más volveré a contarte nada referente a los casos en que esté trabajando. Nada de na-da, ¿entiendes? Y no creas que estoy bromeando, porque te lo digo muy en serio.

—¿El señor Holman ha sido arrestado en relación con el robo? —pregunté—. Por favor, dígamelo... y ya no le haré más preguntas.

—Nancy, a estas alturas ya sabes mucho más de lo que deberías. Te lo vuelvo a repetir, haznos un favor a los dos: dejemos de una vez esta conversación. Pongamos punto y final ahora que todavía somos amigos.

Llegamos al final del estrecho callejón y, antes de des-pedirnos, no me pude resistir y le hice una última pregunta al inspector McGinnis.

—Supongo que habrán montado controles de carrete-ra y guardas en todos los embarcaderos del río, ¿no? —ca-si tuve que gritarle porque ya se había dado la vuelta en dirección de nuevo al banco.

No se giró ni me respondió, simplemente asintió con la cabeza y levantó el pulgar en señal de confirmación. A continuación, se dirigió rápidamente al coche negro.

Vi cómo los cuatro subían al coche y se marchaban: los dos policías de paisano, el inspector McGinnis y el pri-sionero, Ralph Holman.

Decidí inspeccionar otra vez la entrada principal del banco y la zona cercana a la línea de salida y llegada de la carrera. Pero allí no había ni el más mínimo indicio de que se había cometido un robo esa misma mañana. Y en todo caso, de haber habido alguna prueba o posible pista, era obvio que la tropa de investigadores que había estado allí unas horas antes ya la habría recogido.

Visualicé mentalmente la escena que había tenido lugar en la tarima entre el señor Holman, el agente Rainey y el hombre de los pantalones rojos. Entonces, me encaminé hacia el árbol en el que había estado apoyado Pantalones Rojos cuando lo vi por primera vez. Me agaché al pie del árbol y aparté un poco las hierbas y la maleza que había alrededor. Allí, grabado en la tierra húmeda, se veía perfectamente el dibujo de un neumático de bicicleta, de un grueso neumático de bicicleta de montaña. La huella medía aproximadamente unos quince centímetros. Y estaba justo en el lugar donde Pantalones Rojos había reclinado su bicicleta contra el árbol.

Busqué mi navaja en la mochila e hice un corte en el suelo, alrededor de la marca de la rueda. Luego me levanté, buscando con la mirada algo que me sirviera para recoger el trozo de tierra con la huella. Lejos, tirado en la acera, vi uno de esos carteles que anunciaban la carrera. Con el póster, hice una especie de pala pequeña y la introduje en el corte que había hecho anteriormente. Muy cuidadosamente, deslicé la hoja por debajo de la tierra con la marca grabada. Intenté recoger la huella entera, en toda su longitud. Acto seguido, y usando el papel a modo de bandeja, separé el trozo de tierra del suelo.

Con mi tesoro recién adquirido en las manos, me dirigí rauda y veloz hacia Highland Boulevard, al despacho de mi padre. Una vez allí, puse la huella del neumático sobre la mesa del despacho y le tomé varias fotografías con la polaroid que mi padre guarda en el armario, detrás de su mesa.

Cuando finalmente conseguí una fotografía en la que se observaba claramente el dibujo del neumático, la envolví con cuidado y la guardé en la mochila. Luego metí el trozo de tierra como pude dentro de una bolsa de plástico y la dejé en la pequeña nevera que mi padre tiene en la oficina. Pegué una nota encima que decía: POR FAVOR, NO TOCAR, y la firmé con mi nombre.

A continuación planifiqué mi próximo movimiento.

La verdad es que deseaba con todas mis fuerzas localizar al agente Rainey. Si pudiera hablar con él ni que fuera un segundo, podría preguntarle por Pantalones Rojos. Y ahora también tenía otra persona por quien preguntarle: Ralph Holman. Eran las 6:20, y me sentía cansada. Además, tal como les había prometido, tenía que hacer una llamada a mi equipo. Decidí tomarme un buen café con leche; seguro que con un poco de alimento me saldría todo mucho mejor.

Cogí mi bici, cerré con llave otra vez el despacho de mi padre, y me fui al café de Susie. El local de Susie es uno de mis sitios favoritos para ir a tomar algo. Por un lado, es una gran librería donde venden libros tanto nuevos como de segunda mano, y por otro, es una cafetería con mucho encanto. Aparqué la bici en la calle, justo delante del café, puse el candado y entré.

—Hola, Nancy. Bienvenida.

La propietaria, Susie Lin, me saludó desde la barra.

—Pero..., ahora que lo pienso... —dijo mientras venía hacia mí—. Nancy, ¿tú no deberías estar ahora mismo ahí fuera, pedaleando como una loca? Estaba convencida de que participabas en la carrera este fin de semana.

En ese momento, yo estaba leyendo el gran tablón de

anuncios que hay dentro de la cafetería. Está lleno de ofertas de trabajo y otro tipo de anuncios.

—Estoy haciendo un breve descanso —le dije—. Este relevo le toca a Bess.

No quería que nadie supiera lo que estaba haciendo, ni siquiera Susie.

—¿Bess? Ah, muy bien. ¡Bravo por ella, pues! Y tú haces una pausa... ¿Y cómo es eso?

—No pasa nada. Sólo que no podía competir sin comerme antes una de tus deliciosas magdalenas gigantes.

—Las de hoy son de manzana y nueces —me comentó Susie, señalando con el dedo la pizarra que había encima de la caja registradora. Susie siempre escribe el menú del día en esa pizarra, en mayúsculas y con su letra clara y sobria. Las magdalenas son su especialidad, están para chuparse los dedos.

—Así, ¿qué te pongo?

—Mmmm, pues... una magdalena y un café con leche —respondí.

—¿Quieres que te caliente la magdalena en el horno? —me preguntó Susie.

—¡Naturalmente!

—Anda, siéntate, vengo enseguida.

Eché un vistazo a mi alrededor. En el local había unos cuantos clientes muy serios explorando las estanterías en busca de un buen libro para llevarse a casa. Sin embargo, los parroquianos de los sábados por la tarde todavía no habían aparecido, o sea que tenía un montón de mesas para elegir.

Finalmente, me senté en una pequeña mesa redonda. Era de color azul, aunque la pintura ya estaba un poco desconchada. Dejé caer la mochila en la silla que tenía al lado, la abrí y empecé a buscar mi móvil. Mientras lo removía todo de arriba abajo, observé que un par de piernas peludas pasaban por delante de mi mesa y se paraban ante la pizarra, con las pantorrillas hacia donde yo estaba.

No pude controlar el escalofrío que me recorrió el cuerpo cuando descubrí quién había entrado en el café. No le vi la cara, pero habría reconocido aquellos pantalones rojos en cualquier sitio.

10

PANTALONES ROJOS

El hombre de los pantalones rojos continuó dándome la espalda durante algunos minutos más, al tiempo que leía detenidamente la pizarra de Susie. Cuando terminó, pude escuchar su voz por primera vez. Era grave y áspera.

—Ponme un bocadillo vegetal y un café americano —dijo—. Y extra de mostaza en el bocata.

—¿Para tomar aquí o para llevar? —preguntó Susie.

—Pues, aquí mismo —contestó él.

—Serán sólo unos minutos —dijo Susie—. Siéntate donde quieras.

El hombre se giró y se dirigió hacia las estanterías de libros, más concretamente hacia los libros de biología, hasta que yo le detuve con una pregunta:

—Perdona, te vi esta mañana cerca de la línea de salida de la carrera. ¿Cómo es que no estás compitiendo? ¿No perteneces a ninguno de los equipos?

Contuve el aliento cuando me miró, puesto que él podría haberme hecho exactamente la misma pregunta. De todas maneras, valía la pena arriesgarse. Al parecer, no me reconoció, quizá porque ya no llevaba la ropa de montar en bici. El hecho es que, para él, yo era simplemente una clienta más del local de Susie.

—Ah, no... —repuso—. Estuve allí, pero sólo para... eh... para... Oye, ¿te conozco? Tu cara me suena, ¿nos hemos visto en alguna parte?

Volví a contener el aliento mientras él formulaba sus preguntas con voz entrecortada. A lo mejor me había equivocado y él sí me había reconocido.

—No, no lo creo —contesté rápidamente—. Puede ser que me hayas visto esta mañana. Yo también he ido a ver el comienzo de la carrera. Y como te he dicho antes, allí es donde te he visto.

Él puso cara de reflexionar mientras yo hablaba. Tuve la impresión de que los hombros se le ponían tensos al tiempo que me observaba. ¿Se acordaría de que, cuando le echaron de la tarima y salió a toda prisa, chocó conmigo?

—¡Ah, claro! Seguro que es eso —dijo finalmente.

Entonces aspiró profundamente y aparentemente se relajó.

Lo cierto es que, visto de cerca, no tenía muy buen aspecto. Si esa mañana se había afeitado, no lo había hecho muy bien. A menos que quisiera dejarse barba, y estuviera en esa fase en que la parte inferior del rostro parece sucia. El jersey negro que llevaba estaba desteñido y los extremos de las mangas estaban gastados y deshilachados. También me fijé en que sus zapatillas deportivas estaban cubiertas de barro.

—Estoy segura de haberte visto con una bicicleta esta mañana —insistí—. Supongo que por eso pensé que formabas parte de alguno de los equipos participantes. A mí me encanta esta carrera. Mira, aquella de allí fuera es mi bici.

Pantalones Rojos echó una ojeada por la ventana, y se quedó mirando mi bicicleta aparcada.

—Es muy guapa —dijo.

—Aquí tienes el café y tu bocadillo —le dijo Susie, que apareció detrás de Pantalones Rojos con una bandeja—. ¿Dónde vas a sentarte?

—Puedes acompañarme si quieres —le invité—. Me apasiona hablar de bicis.

Susie me miró extrañada, casi frunciendo el ceño, pero no del todo. Apuesto a que pensó que Pantalones Rojos y yo no hacíamos muy buena pareja. Y probablemente se estaría preguntando por qué motivo me había dirigido yo a él, por no hablar de haberle invitado a sentarse a mi mesa. Susie inclinó la cabeza ligeramente. Pantalones Rojos no pudo verla porque ella aún estaba detrás de él.

Yo levanté un poquito la ceja e hice un leve movimiento con la cabeza. Susie me conoce desde hace años y sabe que soy detective, así que confié en que había comprendido mi gesto.

De alguna manera, supe que estaba relacionando todos los hechos: Nancy ha abandonado la carrera; Nancy está hablando con este tipo tan raro; Nancy debe de estar trabajando en algún caso. Cuando ella finalmente me sonrió, no tuve ninguna duda de que había captado mi mensaje.

—Buena idea —dijo Susie, poniendo la bandeja de Pantalones Rojos en mi mesa, delante de una silla vacía. Luego me sirvió a mí el café con leche y la magdalena. —Buen provecho —nos dijo antes de irse.

Luego se fue rápidamente a la cocina, con el pelo largo y liso moviéndose de un lado a otro. Pantalones Rojos dudó por unos instantes, y al final retiró la silla y se sentó.

—Mi nombre es Nancy —me presenté, alargándole la mano.

Decidí no decirle cuál era mi apellido. Hasta esta mañana, nunca lo había visto, pero a menudo me sorprende que incluso gente que no me conoce haya oído hablar de mí.

—Yo me llamo Jasper —dijo, extendiéndome una mano delgada y mugrienta, de dedos huesudos y larguiruchos.

Estrechó mi mano, a continuación la apartó y se la limpió con la servilleta. Ojalá lo hubiera hecho antes de tocarme, ya que su mano tenía un tacto grasiento y algo pegajoso.

—¿Jasper es nombre o apellido? —le pregunté. Como no lo sabía, no estaba segura de si llamarle «señor Jasper» o no.

—Jasper y ya está —me respondió, al tiempo que tomaba un gran sorbo de su humeante café largo.

Luego volvió a mirar a través de la ventana.

—Así que ésa es tu bici, ¿eh? Es curioso que no participes en la carrera. Esa cosa tiene pinta de correr lo suyo. Además es muy elegante.

—Sí, bueno..., tienes razón. Pero cuando quise inscribirme todos los equipos ya estaban completos —dije bebiendo un sorbito de café con leche y pellizcando un trozo de magdalena—. ¿Y qué me dices de ti? ¿Por qué no te apuntaste?

Al principio no dijo nada, sino que prefirió darle un gigantesco mordisco a su bocadillo.

—Está buenísimo —dijo.

Aunque no me hablaba directamente a mí, más bien parecía que lo estuviera anunciando a los cuatro vientos. Entonces se giró bruscamente y le gritó a Susie:

—Prepárame otro como éste. ¡Qué hambre tengo!

—Ya va —respondió Susie desde la barra.

Un grupo de seis chicos, seguramente estudiantes de instituto, entró por la puerta charlando en voz muy alta. Se sentaron en una mesa larga con bancos, junto a la pared. Afortunadamente, no conocía a ninguno de ellos, cosa que me tranquilizó bastante. Lógicamente, no quería que nadie me reconociera y me preguntara por mi equipo delante de Jasper.

—Yo no tengo bicicleta de carretera —dijo Jasper, respondiendo finalmente a mi pregunta—. De hecho, no tengo bicicleta, de ninguna clase. Esta mañana iba en una bici de montaña. Pero lo cierto es que por aquí no hay muchas montañas —dijo riéndose.

—Bueno, pero esta zona es bastante salvaje —dije—. Una bicicleta de montaña sería muy útil para ir por las márgenes del río, por ejemplo, o por las colinas que rodean River Heights. ¿Vives aquí, en el pueblo?

—De todos modos, esa bici no es mía —dijo Jasper, ignorando totalmente mi pregunta.

—¿Ah, no?

—No, qué va. Es de mi hermano. Yo no he vuelto a tener bici desde que era un enano. Le pedí la bici a mi hermano porque quería recorrer la orilla del río este fin de semana. ¿Te gustan las serpientes? A mí, sí. Quería ver si cazaba unas cuantas para empezar un pequeño negocio...

—¿Y qué ha pasado? ¿Has tenido que posponer o anular tu excursión? Lo digo porque supongo que si no, no estarías aquí ahora...

—Pues resulta que a mi hermano le hacía falta la bici. Me contó que tenía que ir no sé dónde después de que empezara la carrera, y que se le había averiado el coche. Yo me voy a comprar una, de todas maneras. La bicicleta de mi hermano funciona muy bien, y tienes razón: es ideal para ir por la orilla del río. Muchos de esos terrenos son tan vírgenes aún...

—Es fantástico, ¿verdad? —le dije—. A mí me parece maravilloso que el ayuntamiento los mantenga así, sin explotar ni urbanizar. Son zonas perfectas para hacer excursionismo y montar a caballo.

—Mmmm —farfulló Jasper, engullendo lo que le quedaba del bocadillo.

Luego Susie vino a nuestra mesa a traerle el segundo bocadillo a Jasper.

—Ah, vale —le dijo a Susie—. Éste me lo llevo.

A continuación, se bebió de un trago el resto del café y se levantó de la mesa precipitadamente.

Lo observé de cerca mientras pagaba la cuenta. Y vi cómo le entregaba a Susie unos billetes sucios y arrugados que sacó de un pequeño monedero. Luego me saludó con la cabeza, agarró el paquete con el bocadillo que Susie le había preparado y salió a toda prisa de la cafetería. Aún pude verlo por la ventana un rato más, caminando por la calle, hasta que lo perdí de vista. Entonces salí del local con la intención de averiguar hacia dónde iba, aunque fingí que estaba revisando la cadena de la bicicleta. Agachada detrás de las ruedas, tenía un buen ángulo de visión. Una manzana más allá, Jasper subió a un destartalado sedán de color marrón y se alejó calle arriba. La parte trasera del coche se tambaleaba, como si tuviera los amortiguadores desgastados.

Me puse en pie. Decidí no seguirle con la bici, no valía la pena. Incluso teniendo en cuenta que hubiera podido mantener su misma velocidad, él me habría visto cada vez que hubiera mirado por el retrovisor. Y entonces, habría deducido claramente que le estaba siguiendo. Entré de nuevo en la librería-cafetería para pagar la cuenta, aunque en realidad no había tenido tiempo de terminarme mi magdalena.

—Dime la verdad —me susurró Susie, mirando a su alrededor mientras me hablaba. Estaba claro que quería asegurarse de que nadie nos escuchaba—. Estás trabajando en un caso, ¿no? ¿Puedes contarme algo?

—Digamos que sólo estoy intentando averiguar un par de cosas —le dije—. ¿Por casualidad sabes algo de ese tipo? ¿Vive en el pueblo?

—Yo lo he visto sólo un par de veces —me respondió Susie—. Creo que vive en alguna parte cerca del río. Procuro no escuchar las conversaciones de mis clientes, pero de vez en cuando me resulta inevitable oír algunas cosas. Recuerdo que vino una tarde con otro hombre y que estuvieron haciendo planes para bajar por el río hasta Rocky Edge. Iban a cazar serpientes.

—Bien, entonces todo cuadra. Me acaba de contar que quiere montar no sé qué negocio con serpientes. ¡Puf, qué asco!

—*Asqueroso* es definitivamente la palabra —añadió Susie—. De hecho, cuando oí eso, dejé de escuchar y me fui a la cocina.

Susie me devolvió el cambio y luego me marché. Sabía que debía llamar a mi equipo. A esa hora, seguro que ya había acampado y probablemente ya estarían cenando. Me preguntaba cómo se las habría apañado Bess en el último relevo de hoy. Echaba de menos participar en la carrera, y esta tarde habría deseado estar ahí fuera con los demás, pedaleando con todas mis fuerzas por curvas y barrancos. Pero, indudablemente, mis prioridades en estos momentos debían ser otras. Todos los relevos de estos dos días no servirían de nada si no se recuperaba el dinero robado.

También sabía que tenía que hablar con el agente Rainey. Lo cierto era que mi encuentro con Jasper *Pantalones Rojos* no había sido demasiado fructífero. En general, su comportamiento en el café de Susie había sido tan natural y despreocupado que resultaba difícil creer que, tan sólo unas horas antes, había cometido un robo de esa magnitud.

Según mis cálculos, el ladrón aún debía de estar en River Heights. Luther había tenido mucho tino al comparar el robo de hoy con el legendario golpe de la banda Rackham. Fuera quien fuera el ladrón, estaría totalmente loco si intentaba escapar del pueblo antes del anochecer. El mismo inspector McGinnis corroboró esta hipótesis cuando me confirmó que habían instalado controles de carretera en todas las vías de salida.

Obviamente, la noche es otra cosa; sobre todo a lo largo del río, donde es imposible mantener bajo vigilancia cada palmo de terreno en ambas márgenes. Susie había dicho que Jasper vivía en alguna parte cerca del río, lo cual significa que, probablemente, conocía todos los meandros, brazos y lugares recónditos de la orilla desde donde podría echar al agua un bote y escapar con una bolsa de dinero robado.

El agente Rainey podría ser definitivamente la clave. Seguro que recordaba a la única persona que había osado saltar encima del escenario y meter las manos prácticamente dentro de la caja fuerte.

Tiene que haber alguna manera... ¡La señora Mahoney! Ella es la presidenta de la junta directiva de la carrera, y ellos contrataron al agente Rainey. Quizá ella podría decirme dónde encontrarle. Además, yo quería saber su opinión sobre el arresto del señor Holman. Iría a hablar con ella primero, y luego llamaría a mi equipo y les pondría al día de las últimas novedades.

Me monté de un salto en la bici y me dirigí directamente a casa de la señora Mahoney. Sabía que ella me recibiría sin cita previa. Mi padre ha sido su abogado desde que tengo uso de razón; lo era incluso antes de que muriera su marido, el señor Cornelius. Y, de manera ocasional, yo la he ayudado a ahuyentar a todo tipo de embaucadores que han intentado aprovecharse de ella desde que se convirtió en una viuda rica.

La finca de los Mahoney está situada en una de las zonas más elegantes del pueblo, en Bluff Street. Llamé a la puerta y fue la misma señora Mahoney quien me abrió. Llevaba unos pantalones de color azul marino y un jersey claro de color blanco marfil.

—¡Oh! Nancy, cariño, perdona que te reciba así —dijo nada más verme—. Nuestro mayordomo está fuera de River Heights; ha tenido que ir a visitar a su tía enferma.

Aquello era típico de la señora Mahoney. Ella me pedía disculpas a mí porque el mayordomo no me había abierto la puerta, y había tenido que hacerlo ella misma. Mi padre dice que es muy moderna en muchos aspectos. Pero en otros, como en todo lo referente a modales y conducta, pertenece sin duda a otra época.

—¡Oh, querida Nancy! Ya te has enterado de lo que ha ocurrido, ¿verdad? ¡Dios mío! ¿Qué vamos a hacer ahora? Vas a ayudarnos, ¿verdad, Nancy? Por cierto, ¡qué contenta estoy de verte! Pero... ¿no deberías estar en la carrera?

Echó un vistazo a su reloj.

—¡Ah! Bueno, ya es casi de noche. Ahora los equipos están descansando, ¿verdad? Sin embargo, tú seguro que no descansas. Estás tratando de encontrar nuestros donativos, ¿a que sí? Supongo que has oído hablar de Ralph Holman. ¡Es tan maravilloso que te encargues de este caso al tiempo que participas en la competición!

En menos de dos minutos, la señora Mahoney había hecho un breve resumen de mi jornada.

—Sí, señora Mahoney, estoy trabajando en el caso. De hecho, ya he hablado con el inspector McGinnis y con otros posibles testigos. Pero estoy intentando encontrar una pista que me ayude a aclarar el caso un poco más. Sin embargo, de momento, no tengo ninguna prueba concluyente... Y he venido a visitarla porque sé que usted puede ayudarme.

—Por supuesto, Nancy. Por supuesto que te ayudaré en todo lo que pueda. A ver, dime, ¿qué te hace falta? ¿Qué necesitas?

—Querría hablar con el guarda de seguridad que contrató la junta directiva, como refuerzo a las fuerzas de seguridad policiales, a fin de vigilar la caja de caudales con el dinero de los donativos. Su nombre es Rainey, y trabaja para una empresa privada, pero no sé cuál exactamente. Si usted pudiera decírmelo, entonces yo podría intentar localizarlo. Estoy convencida de que él es la clave de toda la investigación, y por eso tengo tanto interés en entrevistarle. ¿Sabe usted el nombre de esa empresa de seguridad privada?

—Nancy, cariño. Puedo ayudarte aún más de lo que crees. Ven, el agente Rainey está en el jardín de invierno en estos momentos.

11

MI ESPRINT DE MEDIANOCHE

—¡¿Aquí?! —exclamé perpleja—. ¿El agente Rainey está aquí?

No me lo podía creer. A veces un detective busca y rebusca, investiga, interroga y estudia. Y a veces, simplemente tiene un golpe de suerte.

—Sí —afirmó la señora Mahoney con una sonrisa afectuosa—. Me está informando de cómo tuvo lugar el robo y de sus propias conclusiones al respecto. Has venido justo a tiempo para tomar el té con nosotros. Seis ojos ven más que cuatro, ¿no?

La señora Mahoney me acompañó a uno de mis rincones favoritos de River Heights. No importa qué época del año sea, este lugar es capaz de transportarte al paraíso. Se trata de una sala circular de dos plantas, coronada por una cúpula impresionante. Todas las paredes y la cúpula están hechas totalmente de inmensas hojas de cristal con marcos de cobre, que con el tiempo ha ido adquiriendo un bello color gris verdoso. La mayor parte de los cristales son muy antiguos, y por eso tienen ondas y alguna burbuja.

—Señor Rainey, tengo una pequeña sorpresa para usted —dijo en voz alta la señora Mahoney al tiempo que entrábamos en el jardín de invierno.

La señora Mahoney me guió a través de miles de flores multicolores, de docenas de árboles exóticos y de otras tantas plantas bellísimas que crecían lozanas en aquella especie de invernadero. Tuvimos que esquivar unas cuantas mesitas redondas y sus correspondientes sillas hasta llegar a la mesa principal, situada en medio del jardín.

—¡Es Nancy Drew! —exclamó la señora Mahoney.

Debo confesar que su entusiasmo me hizo sentir un poco incómoda. Sobre todo porque mi intención había sido tratar de pasar desapercibida y no llamar demasiado la atención del agente Rainey. Aunque, a decir verdad, tampoco había sido mi intención que me escoltaran directamente hasta él. A veces no tenemos más remedio que aceptar las cosas tal como vienen, tanto lo bueno como lo malo.

El agente Rainey se levantó muy educadamente cuando llegamos a la mesa. Entonces la señora Mahoney se sentó junto al servicio de té, al lado del señor Rainey, y yo tomé asiento a su otro lado. El agente Rainey, pues, estaba justo delante de mí. Eso me gustó, porque así podría estudiar la expresión de su rostro mientras hablábamos. Todavía llevaba puesto su uniforme de guarda de seguridad.

—Buenas tardes, agente Rainey —le saludé—. Me alegro mucho de verle por fin. Hace muchas horas que quiero hablar con usted. Prácticamente desde esta mañana, cuando me enteré de que habían robado el dinero.

Fui directa al grano. Sabía que ya no tenía ningún sentido andarse con rodeos.

En aquel instante, podría decirse que el rostro del agente Rainey era un compendio de todas las expresiones humanas habidas y por haber. Pasó del choque al desconcierto y de la vergüenza a la resignación, y todo eso en una décima de segundo.

—Pero, ¿cómo pudiste enter...? —balbuceó.

—¡Ah! Eso es normal, señor Rainey. Nancy siempre se entera de todo —le interrumpió la señora Mahoney, con total naturalidad. De hecho, ni siquiera levantó la vista mientras servía el té.

—No, no. En absoluto —protesté con rapidez—. Es por eso que quería hablar con usted, agente Rainey.

Me eché hacia atrás en mi silla tras haber tomado mi primer sorbo de té. Reconocí ese sabor de inmediato: Darjeeling, de la India. Es mi favorito, porque para mí sabe a chocolate.

—Nancy también sabe que el señor Holman ha sido arrestado —añadió la señora Mahoney, ofreciéndonos una pequeña bandeja de plata llena de canapés perfectamente colocados encima de una servilleta de lino bordada. En la mesa había otra bandeja de plata, más grande y de dos pisos, con pastas de té y tartaletas de mermelada de arándanos.

—Mire, señor Rainey, aunque Nancy es una buena amiga mía, hoy está aquí por motivos puramente profesionales. Podría decirse, incluso, que usted y ella son colegas. Nancy es una investigadora privada.

—Ya veo... —dijo el agente Rainey.

Aún parecía confundido y turbado. Comió un trocito de canapé de rosbif y bebió un sorbo de té.

—No asocio tu nombre a ningún equipo concreto de

detectives de la policía ni de la secreta. Por tanto, supongo que tu interés por el caso es extraoficial.

—Nancy ha resuelto muchísimos casos que nuestro propio departamento de policía no lograba aclarar —señaló la señora Mahoney. Entonces se inclinó hacia delante y habló en voz muy baja, como si le estuviera contando un secreto—. Créame, señor Rainey, Nancy sabe muy bien lo que hace.

—¿Y por qué querías hablar conmigo exactamente? —me preguntó, después de dedicarle una sonrisa a la señora Mahoney—. Hazte cargo de que, mientras continúe la investigación oficial, yo no podré facilitarte ninguna clase de información detallada.

—Por supuesto —dije yo, después de haberme comido mi canapé de rosbif, que, por cierto, estaba delicioso, sobre todo teniendo en cuenta que desde la una del mediodía no había comido nada, excepto un mordisco de magdalena—. No querría comprometer su trabajo en el caso por nada del mundo, se lo aseguro —continué—. Lo que me interesa principalmente es obtener información sobre un hombre. Usted le echó de la tarima esta mañana, puesto que había subido allí de un salto para ver más de cerca el dinero que había en la caja de caudales. Era un ciclista y llevaba unos pantalones rojos.

El agente Rainey tomó otro sorbo de té y se quedó pensativo, aunque a mí me pareció que lo que hacía, en realidad, era evaluarme y así determinar qué cantidad de información debía darme.

—Sí, le recuerdo muy bien —dijo finalmente el agente Rainey—. Supongo que forma parte de alguno de los equipos participantes en la carrera.

—¿Y no le resultó extraño que saltara al escenario de ese modo? —le pregunté—. Usted estaba hablando con alguien, mirando hacia un lado, pero seguía estando muy cerca de la caja fuerte. Aunque eso a él no le preocupó en absoluto; él simplemente subió a la tarima y ya está.

El agente Rainey me sonrió, pero era una sonrisa muy rara. Un tipo de sonrisa que significa: «Deja de pensar con tu preciosa cabecita en cosas que no puedes entender, porque eres demasiado joven o demasiado inexperta o porque no eres lo suficientemente lista». ¡Puf!

—Bueno, verás. A veces, los deportistas, momentos antes de una prueba, de una competición o de lo que sea —me explicó, como si hubiera descubierto América—, están tan alterados que los nervios les juegan malas pasadas y hacen alguna que otra tontería. Seguramente sólo quiso echar una ojeada a todo ese dinero para recordarse a sí mismo por qué estaba allí y por qué tenía que ganar.

—Este año hemos recibido muchos más donativos que en años anteriores —dijo la señora Mahoney. Luego asintió varias veces con la cabeza y se comió una galletita de almendras cubierta de azúcar.

—Bien, pues esto es todo —les dije—. De hecho, ya he hablado esta tarde con ese hombre. Se llama Jasper, y no es uno de los corredores. Su bicicleta era de montaña y...

—¡Ah! Una bicicleta de montaña no es nada adecuada para nuestra carrera. Lo que se necesita es una buena bicicleta de carreras —me interrumpió la señora Mahoney.

—Precisamente —dije—. Y tampoco formaba parte de ningún equipo ni tenía la más remota intención de competir. Así que, a lo mejor, estaba interesado en el dinero por alguna otra razón.

—Ya entiendo... —dijo ahora el agente Rainey. Dejó su taza encima de la mesa y se inclinó hacia delante, apoyando los codos en el mantel de encaje—. Y no sólo estoy asombrado, sino que te estoy realmente agradecido. Me habían informado de que era uno de los ciclistas participantes.

—¿Quién le dijo eso? —le pregunté.

—Pues fue él mismo —contestó el agente Rainey, levantando los brazos en señal de asombro—. Le seguí la pista esta tarde, tan pronto me hube enterado del robo. Naturalmente, me acordé enseguida de que había saltado a la tribuna y de que se había acercado demasiado a la caja de caudales. Estaba claro que era un posible sospechoso. Debo confesar que me siento muy avergonzado de que aquello ocurriera en mi presencia... durante mi guardia.

El agente Rainey puso cara de preocupación otra vez.

—Vamos, vamos, señor Rainey —le dijo la señora Mahoney, dándole unas palmaditas en el hombro—. No empecemos a buscar culpables. Ahora lo principal es encontrar el dinero, atrapar al miserable que lo robó y meterlo entre rejas.

—Se lo agradezco, señora Mahoney. Sin embargo, sé que me voy a sentir así hasta que yo, personalmente, descubra quién ha sido el responsable de esta desvergüenza —declaró entonces el agente Rainey—. Esto nunca debería haber sucedido mientras yo custodiaba la caja fuerte, y la única manera de recuperar mi buena reputación es entregando al ladrón a la justicia.

—¿Y qué hay de Ralph Holman? —pregunté—. Al parecer, la policía de River Heights cree que está implicado en el robo. ¿Sabe usted cuáles son los cargos?

—¡Oh! Ralph no tiene nada que ver con todo esto, estoy segura —dijo la señora Mahoney—. Lo he conocido toda mi vida y es imposible que haya hecho algo así. Sí, es cierto que últimamente ha tenido algunos problemas económicos. ¡Y quién no! Pero Ralph nunca haría nada ilegal para pagar sus deudas. Ya veréis cómo no podrán acusarle de haber robado el dinero donado para la carrera. Este arresto es cosa del inspector McGinnis y de sus ganas de darse importancia. La cuestión es esposar a alguien enseguida, independientemente de si es el verdadero culpable o no.

—Dijo que le había seguido la pista al tal Jasper. ¿Sabe si vive en el pueblo? —le pregunté al agente Rainey—. La verdad es que yo no recuerdo haberlo visto nunca por aquí.

—No exactamente —repuso—. Creo que vive al sur de River Heights. No sé dónde concretamente... Cuando hablé con él, todavía andaba por el centro.

—¿Y continuó considerándolo un posible sospechoso después de hablar con él? —pregunté.

—Naturalmente —me contestó—. Y Nancy, no hace falta que te preocupes más del caso. Voy a dar con él, te lo prometo. Y luego encontraré el dinero y lo devolveré a la caja de caudales.

—Que tenga usted mucha suerte —le dije, poniéndome en pie—. Muchísimas gracias por todo, señora Mahoney. No, por favor, no se levante. Conozco la salida, no hace falta que me acompañe.

—Gracias a ti por venir, Nancy —me respondió ella—. Como siempre, ha sido un placer verte.

Mientras salía del jardín de invierno, pude escuchar cómo los dos murmuraban en voz muy baja. Supongo que hablaban de mí y del caso.

Monté de nuevo en la bici y muy lentamente me alejé de la mansión de los Mahoney. Las palabras de Luther resonaban en mi cabeza: debía seguir el curso del río. Luego oí la voz de Susie diciéndome que Jasper vivía en alguna parte cerca del río. Y la del agente Rainey, diciéndome también que creía que Jasper vivía al sur de River Heights. Ummm...

El aeropuerto internacional más cercano está en la capital del estado, río abajo. Sería un lugar ideal para perderse, o para escapar del país si resulta que uno ha estafado decenas de miles de dólares a un acto benéfico...

En esos momentos me encontraba tan sólo a tres manzanas del río. Cuando llegué allí, me dirigí hacia el sur. Kilómetros y kilómetros de tierras a lo largo del río se habían destinado a senderos públicos y grandes parques naturales. Lógicamente, en esa zona había muy pocos habitantes. Si Jasper vivía realmente al sur del río, tenía que encontrarle. Aunque para conseguirlo tuviera que registrar casa por casa y chabola por chabola.

También tenía en mente buscar en todos los posibles embarcaderos que hubiera en la orilla, y estar alerta por si alguien cruzaba el río esa noche. En la mochila llevaba la fotografía con el dibujo del neumático de la bicicleta de montaña de Jasper, lo cual me sería de gran ayuda. Con un poco de suerte, encontraría ese mismo dibujo marcado en el barro, a lo largo de la orilla, y sólo tendría que seguirle el rastro.

Ahora sí que tenía un montón de cosas que contarles a Bess, George y Ned. Alargué la mano detrás del sillín y cogí el móvil. No estaba segura de si habría cobertura en su zona de acampada o no, por eso me puse tan contenta cuando Ned me respondió al instante.

—Nancy, ¡ya era hora! —exclamó—. ¿Qué está pasando? ¿Dónde estás? ¿Qué estás haciendo?

—Me dirijo al sur siguiendo la orilla del río —le expliqué—. ¿Hasta dónde habéis llegado vosotros?

—Pues al final no conseguimos llegar a Swain Lake —me dijo él—. Pero hay que reconocer que Bess estuvo magnífica. De todos modos, hemos perdido algo de terreno..., no mucho. El equipo de Deirdre nos lleva una ventaja de unos veinte minutos. Y como George al final logró piratear su GPS, ahora sabemos exactamente dónde han acampado.

—¿Y entonces vosotros dónde estáis?

—Casi en la orilla del río, cerca de Rocky Edge.

—Yo voy hacia allí. En una hora, más o menos, estaré con vosotros.

—Perfecto. Pero no hagas mucho ruido —me advirtió Ned—. Deirdre y los de su equipo están bastante cerca de aquí, y no es buena idea que se enteren de tu llegada.

Estuve totalmente de acuerdo con Ned: debía ser lo más silenciosa posible. Luego colgué, contenta de saber que por fin podría parar y ver a mis amigos. Además, tenía muchas ganas de volver a cambiarme de ropa y, sobre todo, de descansar un poco.

Al acercarme a Rocky Edge, bajé la cuesta hasta la orilla sin pedalear. Al cabo de poco, vislumbré la pequeña hoguera que mi equipo había encendido, lo cual me provocó de inmediato una subida de adrenalina que me vino muy bien.

Una vez juntos, y durante los primeros minutos, todos quisimos hablar al mismo tiempo. Lo hicimos apenas sin levantar la voz, ya que sabíamos que, si no, los equipos que habían acampado río arriba nos oirían enseguida. Y además, existía la posibilidad de que Deirdre y los de su banda nos hubieran colocado un espía cerca del campamento para que escuchara nuestras conversaciones. La verdad es que Deirdre era muy capaz de eso y de mucho más.

—Bess hizo un gran papel en su relevo —me dijo George—. Se mantuvo en todo momento muy cerca de Deirdre. Yo me muero de ganas de correr mañana por la mañana. Thad Jensen se acordará de mí. ¡Te aseguro que le voy a cubrir de barro al subir la cuesta del río!

—Nancy, ¿qué has averiguado hasta ahora? —me preguntó Ned—. Dinos, ¿qué está ocurriendo en el pueblo?

Les expliqué cómo me había ido el día con todo lujo de detalles: mi encuentro con Luther en el parque y la conversación que había tenido con él; el *encontronazo* con el inspector McGinnis mientras yo merodeaba cerca de la puerta trasera del banco; el arresto del señor Holman; la huella del neumático de una bicicleta de montaña que había descubierto y excavado en el barro; el encuentro casual con Pantalones Rojos en el café-librería de Susie y, por último, mi entrevista con el agente Rainey en casa de la señora Mahoney.

—Vaya, veo que te has estado rascando la barriga, ¿eh? —dijo George con una sonrisa.

—Sí, ¿verdad? —contesté yo con un gesto de complicidad.

—Por lo visto, Pantalones Rojos es el tipo que estamos buscando, ¿no os parece? —nos preguntó Bess.

—Todo indica que sí —respondí yo—. Pero, no sé, no estoy tan segura... En todo caso, os puedo decir que no se comportó como alguien que está planeando la escapada del siglo. Y eso me preocupa. Además, ¿qué pinta el señor Holman en todo esto? ¿Y si es él quien lleva la batuta y ha dirigido toda la operación? Quizá él y Pantalones Rojos son cómplices... Tengo la sensación de que se me escapa algo importante, pero no sabría decir exactamente qué es.

—¿Estás segura de que no quieres que te echemos una mano? Entre todos igual conseguiríamos desenmascarar al malo de la película —propuso Ned—. Yo creo que podríamos ayudarte.

—Ya lo sé, Ned. Pero todavía creo que hay mucho en juego en esta carrera. Por eso quiero resolver el caso y, al mismo tiempo, que nuestro equipo cumpla con los compromisos que ha adquirido.

—Y yo quiero machacar a Deirdre y a sus secuaces de una vez por todas —dijo George, siempre tan competitiva.

—Pero Nancy, si no localizas ese dinero, no importará quién gane la carrera —señaló Bess, muy acertadamente.

—Yo encontraré el dinero —insistí—. ¡Y vosotros ganaréis la carrera!

Después de decirles esto, tuve otro subidón de adrenalina. Estaba realmente deseosa de cumplir esa promesa.

Muy rápidamente me puse unos pantalones ciclistas limpios y un jersey, y luego, encima, unos pantalones y una chaqueta de chándal con capucha. Al caer la noche, el aire se había vuelto helado.

—Nancy, en las alforjas te he puesto un bocata, unos cuantos tentempiés, una bebida energética y un par de barritas de cereales —me comentó Bess.

—Muchas gracias —le dije—. ¡Y muchas gracias sobre todo por haber traído ropa de recambio!

Nos dimos las manos y alzamos los puños al aire. Esta vez no hubo ningún grito ni ningún hurra por si acaso había alguna oreja humana escondida entre la espesura que nos rodeaba.

Preferí no ir por la ruta principal, por donde pasarían los ciclistas de la carrera al día siguiente, así que me desvié por el antiguo sendero que hay entre el río y el camino más transitado.

Con el tiempo, este antiguo sendero ha quedado prácticamente escondido entre la maleza y los juncos. Por eso recorrerlo me resultó mucho más costoso que si hubiera elegido el camino principal. De todas maneras, la bicicleta pudo con todo. Además, pensé que alguien que montara una bicicleta de montaña muy probablemente utilizaría esta otra ruta. Y, por supuesto, también quería pasar totalmente desapercibida. La orilla del río es un lugar típico de acampada para muchos ciclistas, y yo no quería que nadie me viera.

Al principio, cuando tan sólo me había alejado unos metros de la luz de las llamas de nuestra hoguera, tanto la oscuridad que me circundaba como el faro de mi propia bici me parecieron demasiado intensos. Luego, gradualmente, mis ojos se acostumbraron a esos dos extremos. Y mientras pedaleaba, observaba de forma escrupulosa el sendero que tenía delante.

Había recorrido unos cinco kilómetros cuando las detecté en el terreno encenagado de la orilla: ¡eran las huellas zigzagueantes de los neumáticos de una bicicleta de montaña!

12

UN DESVÍO PELIGROSO

Me paré allí mismo, saqué de mi mochila la fotografía con el dibujo de las ruedas de la bicicleta de Jasper y la acerqué al faro de la bici. El dibujo era exactamente igual al de las huellas que acababa de descubrir en el antiguo sendero.

En aquel instante, un escalofrío me sacudió todo el cuerpo y se me puso la carne de gallina. Volví a montar en la bici y fui siguiendo el rastro de las huellas de aquellos neumáticos. Desgraciadamente, era un rastro muy irregular y, de vez en cuando, incluso desaparecía por completo durante algunos kilómetros. Pero, al final, mi faro siempre volvía a encontrarlo. Sin duda, Jasper había recorrido ese mismo camino. O, mejor dicho, la bicicleta del hermano de Jasper había recorrido ese mismo camino.

Sentí una nueva ola de escalofríos. El hermano de Jasper, me recordé a mí misma. Jasper me había comentado que él tenía planeado utilizar la bicicleta ese fin de semana, pero que a última hora su hermano se la había pedido. La necesitaba porque... porque... ¡su coche se había averiado poco después de empezar la carrera!

—¡Rainey! —exclamé en voz alta. Inmediatamente me

tapé la boca con la mano, con la esperanza de que nadie me hubiese oído. ¡Por supuesto!

Charlie Adams nos había dicho que, justo tras el inicio de la carrera, había recibido una llamada urgente para ir a reparar el depósito de agua del coche del agente Rainey. Y Jasper me había contado que su hermano necesitaba que le devolviera la bicicleta justo después de haber comenzado la carrera porque se le había estropeado el coche. Jasper nunca me dijo cuál era su apellido. ¿Y si se llamaba Rainey?

Apreté los frenos y paré la bici. Puse el pie izquierdo en el suelo para poder mantener el equilibrio. Me hacía falta pensar con claridad, y no podía concentrarme si seguía pedaleando.

Intenté recordar palabra por palabra la conversación que habíamos mantenido el agente Rainey, la señora Mahoney y yo mientras tomábamos el té en el jardín de invierno de la mansión Mahoney.

El agente Rainey, en un principio, me había dicho que no le preocupó especialmente que Jasper saltara al entarimado aquella mañana, puesto que pensó que simplemente se trataba de un participante demasiado ansioso. ¿Quizá por eso sonrió al echarlo del escenario? ¿Fue una sonrisa amistosa de un agente público? ¿O fue, más bien, una sonrisa de complicidad a un hermano?

Demasiado simple. Tiene que haber algo más, me dije a mí misma. Piensa, Nancy, piensa.

¿Qué fue lo que dijo el agente Rainey cuando volvimos a hablar de Jasper, un poco más tarde? ¡Ah, sí! Dijo que no sabía dónde vivía, ya que cuando le había interrogado esa tarde, Jasper aún andaba por el centro de River Heights.

Pero, un momento..., el agente Rainey también me dio las gracias por haberle informado de que Jasper no era uno de los participantes en la carrera.

¡Claro! Eso es lo que me ha estado rondando por la cabeza durante los últimos sesenta minutos: ¡el agente Rainey estaba mintiendo! Si sabía que esa tarde Jasper aún deambulaba por el pueblo, entonces ya sabía que no era uno de los corredores de la carrera. Por tanto, Rainey había mentido, bien cuando dijo que suponía que Jasper era un participante, bien cuando dijo que había hablado con Jasper esa tarde. En cualquier caso, el agente Rainey no había dicho la verdad. Y no importa si lo había hecho para proteger a su hermano delincuente o para protegerse a sí mismo como autor del robo. Lo que estaba claro es que tendría que responder a unas cuantas preguntas.

Subí de nuevo al sillín y seguí rastreando las marcas de los neumáticos en el lodo. Tras unos cuantos kilómetros más, las huellas de la bicicleta de montaña se desviaron de la antigua senda, y luego continuaron cuesta abajo por una colina muy escarpada hacia un pequeño bosque de árboles y arbustos. En lo alto de la colina había un letrero con el rótulo «SIN SALIDA».

Apagué el faro de la bicicleta y salí del camino. Entonces bajé de la bici y la escondí en el interior de una gran zarzamora. Cogí la mochila, que Bess me había colocado en una de las alforjas, y miré qué había. Decidí deshacerme del peine, el protector de labios y otras cosas que no me hacían falta. No sabía cuánto tiempo tendría que estar caminando, así que lo mejor era cargar con el menor peso posible.

Me quedé con lo más imprescindible: el móvil, un bolígrafo, una pequeña libreta, una navaja de bolsillo, unas barritas de cereales y una linterna. Así pues, junto con la bicicleta, también escondí el casco y todo lo que había sacado de la mochila. A menos que alguien lo buscara adrede, era imposible verlo.

Poco a poco empecé a bajar por la montaña, siempre siguiendo las marcas de la bicicleta del hermano de Jasper. Afortunadamente, había suficiente luz de luna para ver por dónde iba. El rastro de los neumáticos me llevó directamente al río; delante de mí había algo que se movía con un suave vaivén. Una barca de pescar en un estado deplorable estaba atracada al final de un pequeño embarcadero.

Me agaché detrás de un árbol caído y eché una buena ojeada a la zona durante unos minutos. No había absolutamente nada y no se oía ni un ruido, excepto el del movimiento del agua y el de la barca golpeando ligeramente contra el muelle. Tampoco se veía un alma. Esperé unos minutos; tenía que armarme de valor y, al mismo tiempo, planificar cómo escapar de allí en caso de necesidad. Al final, me dirigí rápidamente hacia el pequeño embarcadero.

Me arrastré rápida y sigilosamente por aquellos viejos listones de madera, que crujían a mi paso. Al llegar a la barca, la observé detenidamente. Había una pequeña cabina en medio de la cubierta, pero estaba compuesta básicamente de ventanas. Me puse de cuclillas para poder ver a través de los cristales. No había nadie dentro, al menos hasta que salí del embarcadero y salté a la barca.

Aquel barco estaba muy deteriorado. Aparte de eso, no vi nada que pudiera identificar a su propietario. Entré dentro de la cabina, para lo cual tuve que bajar tres peldaños de madera. Busqué la linterna en mi mochila, la encendí y dirigí aquel haz de luz alrededor de la pequeña habitación.

A lo largo de una de las paredes había un banco empotrado con un viejo colchón encima. El resto del mobiliario estaba formado por una destartalada silla de madera y dos taburetes. En una esquina había una encimera y un fregadero; sobre la encimera vi un hornillo y un aparato eléctrico para hacer palomitas, y el fregadero estaba lleno de platos desordenados, algunos limpios y otros sucios. Junto a este rincón-cocina había un pequeño armario lleno de latas de comida. En el suelo del armario había una especie de cubierta de lona que apestaba a pescado. En la esquina del fondo había una puerta por la cual se accedía al cuarto de baño más minúsculo que había visto en mi vida, era incluso más estrecho que los lavabos de los aviones.

En la estancia principal había basura tirada por todas partes: montones de periódicos viejos, envoltorios de comida, bolsas vacías y otros trastos. Sin embargo, no encontré nada que pudiera contener un fajo de dinero robado. Eché un vistazo en el armario de la cocina, ya que no había ningún otro. Allí dentro había unas cuantas cosas que tenían un aspecto repugnante, pero el dinero no estaba.

Luego me acerqué al banco de madera, junto a la pared. No quise tocar el colchón, de lo sucio que estaba, por eso le di una patada suave a la parte frontal del banco. Estaba vacío. Luego fui hasta el extremo e intenté abrirlo por las esquinas. La superior estaba firmemente cerrada, pero la inferior cedió un poco.

No había ningún tipo de asidero, pero logré meter el dedo por debajo de la madera y entonces tiré muy fuerte. La mitad del panel frontal de madera se levantó, como una puerta de armario que se abre hacia arriba. Dentro había un juego de alforjas; eran un poco más grandes que las que teníamos en nuestro equipo. Tenían toda la pinta de ser el tipo de alforjas que llevaría una bicicleta de montaña.

Eché las alforjas al suelo. Pesaban mucho y eran bastante voluminosas. Y, tal como había supuesto enseguida, cuando las abrí encontré un montón de billetes meticulosamente envueltos.

Pensando a toda velocidad, embutí el dinero en la mochila. Luego cogí unas cuantas hojas de papel de periódico, de las que había esparcidas por el suelo, y las metí en las alforjas. Así pagaría a Rainey con su misma moneda.

Volví a introducir las alforjas en el armario escondido y bajé la puertecita. Lo dejé todo tal y como lo había encontrado.

Y por último, me puse de pie y me cargué la mochila repleta de dinero a la espalda. Mi único pensamiento era salir de aquella barca. En esos momentos, mi corazón latía tan fuerte que parecía que me iba a explotar. Y el bum bum que me martilleaba las sienes era tan sonoro que ya no podía oír ni el ruido del barco golpeándose contra el muelle. El pulso tan acelerado me impedía oír cualquier otro sonido.

Bueno, no del todo.

De repente, el ruido de algo metálico chocando contra la cubierta del barco, fuera de la pequeña cabina, resonó en el silencio de la noche. Inmediatamente después, la barca se hundió tanto por el lado derecho que tuve que dar un paso adelante para mantener el equilibrio. Alguien había lanzado algo sobre la cubierta, y todo parecía indicar que se trataba de la bicicleta de montaña.

Pegué un salto y corrí hasta el armario. El barco volvió a inclinarse hacia la derecha, y luego se oyeron pasos. ¡Alguien acababa de subir a la embarcación!

Me hice lo más pequeña que pude, me escondí en el armario y cerré la puerta. En aquel preciso instante, el motor del barco arrancó.

13

CASCABELES

La luz en la habitación era muy tenue, y yo tenía la puerta del armario a tan sólo unos centímetros de la cara. Noté cómo la barca se inclinaba de nuevo hacia la derecha y, un minuto más tarde, me di cuenta de que había empezado a moverse a gran velocidad. Un haz de luz me iluminó el hombro izquierdo. Miré hacia arriba y vi un pequeño respiradero en la parte superior de la puerta del armario. La luz de la luna se filtraba a través de la rejilla, por eso supe que nos dirigíamos hacia el sur.

Estaba prácticamente segura de que no había nadie más a bordo, aparte de la persona que pilotaba la embarcación. Así que, al menos, podía moverme y cambiar de postura sin que me oyeran. El armario era realmente estrecho, pero había un poco de espacio para moverse.

Mi cabeza no paraba de dar vueltas a un par de cosas: la primera, que quien pilotaba el barco entrara en la cabina e intentara abrir el armario; y la segunda, que entrara en la cabina para comprobar que el dinero aún estaba en su sitio. En cualquier caso, la cuestión es que mi situación era muy delicada. Enseguida asumí que esa persona era un hombre, puesto que yo pensaba en el agente Rainey o en Jasper.

¿Y qué iba a decir si me descubrían? Si era Rainey, podría fingir que me alegraba de verle y tratarle como a un colega que también está intentando atrapar al malhechor. Si me descubría Jasper, mi respuesta tendría que ser diferente. Pero, tanto si era uno como otro, lo más importante es que debería fingir que no sabía nada del dinero a bordo, y que debería evitar por todos los medios que se acercaran a mi mochila. Mi objetivo sería escapar lo antes posible... con el dinero.

Mientras seguía pensando qué le respondería a Jasper si era él el piloto, me dejé caer encima de la lona que había tirada en el suelo del armario. Me dolían tanto las piernas que incluso sentarme encima de esa tela pestilente era mejor que quedarme de pie un minuto más. De repente me di cuenta de lo agotada que estaba. Me había pasado el día yendo de un sitio a otro sin parar, y ahora eso me estaba pasando factura. Me acordé de que aún me quedaba algo de comer en la mochila, y saqué una barrita de cereales. La engullí casi sin masticar. Luego bebí un par de tragos de agua. ¡Me sentó tan bien!

Los párpados se me caían de sueño, pero cada vez que cerraba los ojos se me aparecía la imagen del viejo sendero entre los rayos de la rueda delantera de la bicicleta. Tenía la sensación de que mis piernas continuaban pedaleando, e incluso podía escuchar el zumbido del neumático silbándome en los oídos.

Al cabo de poco, y al irse alejando del muelle, la barca se estabilizó. Ahora nos movíamos en el mismo sentido de la corriente del río. Aquello no era más que un pequeño barco de pesca, pero lo cierto es que no avanzábamos a demasiada velocidad. Supuse que el piloto maniobraba casi al ralentí para que el motor hiciera el menor ruido posible.

El barco se balanceaba ligeramente de un lado a otro a medida que se deslizaba por el agua, y yo me acurruqué aún más en aquella cubierta de lona. Al principio me costó mucho mantener los ojos abiertos, hasta que al final ya no pude ni levantar los párpados. El ruido del motor y el desagradable olor a pescado desaparecieron por completo. Y lo único que sentí fue el incesante balanceo de la barca, de un lado al otro...

¡PUMBA!

Un fuerte estrépito retumbó por toda la embarcación y me sacó bruscamente de mi estado de somnolencia. Me incorporé rápidamente y sacudí la cabeza. Por la pequeña rendija de la puerta del armario entraba tan sólo un débil rayo de luz de luna. Eché una ojeada al reloj: ¡las cuatro de la mañana!

La cabeza me daba vueltas. No me había quedado simplemente traspuesta, sino que había estado durmiendo... ¡más de una hora!

Mi corazón empezó a latir otra vez con fuerza. Inspiré profundamente un par de veces para calmarme y poder pensar con serenidad. Oí pasos que se dirigían de la cubierta del barco a la cabina y luego descendían los tres peldaños hasta la habitación donde me encontraba yo. Me quedé totalmente inmóvil y agucé el oído para escuchar lo que ocurría al otro lado de la puerta. Parecía que alguien estuviera arrastrando los pies por el suelo. Luego se oyó un crujido. Después, silencio absoluto.

Durante un cuarto de hora, más o menos, no escuché

nada de nada. Pero, pasado ese tiempo, oí los resoplidos de una respiración muy fuerte, que poco después se convirtieron en ronquidos. Estaba claro que... ¡alguien estaba roncando! Probablemente el piloto se había quedado dormido encima de aquel cochambroso colchón.

La verdad es que ésta era una posibilidad en la cual no había pensado. Descarté todos mis planes anteriores y me tracé una nueva estrategia.

Tras considerar varias opciones, decidí arriesgarme a abandonar la embarcación mientras el otro ocupante dormía. Si se trataba del agente Rainey, seguiría con mi plan original: decirle que éramos un par de colegas a punto de desenmascarar al ladrón de los donativos. Si era Jasper quien me atrapaba, tendría que improvisar algo en ese momento.

Pensé que si intentaba escabullirme del barco, al menos tendría una oportunidad de no ser descubierta. Todas las demás alternativas partían de la base de que alguien me encontrara en el armario.

Esperé impaciente otros quince minutos sin hacer nada. Los ronquidos se habían sucedido sin interrupción, y eran tan sonoros que, sin duda, los ruidos que mi huida pudieran provocar quedarían ahogados en aquel estruendo.

De acuerdo, muchacha, me dije finalmente a mí misma. Allá vamos...

Quité el pestillo y entreabrí la puerta. Ni siquiera yo pude oír el clic del pestillo a causa de los ronquidos. Me pegué a la puerta durante unos instantes, de manera que era imposible que la persona que dormía en el colchón pudiera verme.

La persona que estaba durmiendo siguió roncando, así

que finalmente salí del armario y entré en la habitación. Y por fin pude confirmar mis sospechas: el ladrón era el agente Rainey, que dormía todavía vestido con su uniforme de servicio. Me arrastré sigilosamente por el suelo, plenamente consciente del peligro que entrañaba mi misión.

Subí los tres peldaños, crucé la cubierta de la barca y me dirigí hacia el muelle. Hasta ahí, todo perfecto. Luego salí del barco cuidadosamente, intentando que la embarcación se moviera lo menos posible. Al saltar del muelle a tierra aún pude escuchar los ronquidos de Rainey. Me fijé en que en el muelle había otro barco amarrado. Se trataba de una lancha motora de última generación ideal para escapar río abajo a toda mecha.

La luna había desaparecido casi por completo. Tenía que marcharme de allí de inmediato. No sabía exactamente dónde estaba, pero calculé que, para llegar hasta el lugar donde había escondido la bicicleta, tendría que caminar, como mínimo, un par de horas.

Empecé a correr silenciosamente, mis piernas se movían al ritmo de los latidos de mi corazón.

¡Aaaaaatchíiiiiiissss! El estornudo más fuerte y más largo que jamás había oído en mi vida rompió el silencio de la noche. Cuando me di la vuelta, la tenue luz de la luna iluminaba ligeramente la cabina del barco. A través de la ventana pude ver cómo Rainey estiraba los brazos, desperezándose, y luego se levantaba del banco. A continuación se dirigió hacia los peldaños que subían a cubierta.

Durante unos segundos fui incapaz de moverme. Me sentía como en uno de aquellos sueños en que quieres correr pero no puedes. Miré a mi alrededor en busca de un lugar donde esconderme.

A medio camino de la cuesta que subía hasta la colina, vi un cobertizo y corrí hasta allí.

Al correr, notaba cómo la mochila llena de billetes me iba golpeando la espalda, y eso me dio ánimos. Entré como una flecha en aquel desvencijado cobertizo de madera y cerré la puerta rápidamente.

Por una grieta que había en la puerta seguí observando los movimientos de Rainey. Ahora estaba en la cubierta y llevaba algo en la mano. Parecía comida, pero yo ya estaba demasiado lejos para saber con exactitud qué era. Luego se sentó en una caja de madera y empezó a comer.

Me entró hambre sólo de verle comer a él. El pastel de plátano de Hannah se me apareció como en sueños por unos instantes. Pero enseguida me forcé a concentrarme en el presente.

Sabía que no debía intentar irme del cobertizo; si lo hacía él me vería seguro. Por tanto, me quedé allí quieta, esperando. Al poco rato, mis sentidos empezaron a captar las vibraciones de ese nuevo entorno. El interior del cobertizo tenía un olor verdaderamente extraño. Olía a humedad y a tierra, todo mezclado con otro tipo de olor que no conseguí identificar.

Continué espiando a Rainey. Parecía nervioso, como si no pudiera estar simplemente sentado en aquella caja. Cada dos por tres se levantaba y daba vueltas por la cubierta.

Entonces oí otro sonido, como si alguien se moviera arrastrando los pies detrás de mí. Mi cuerpo entero se sobresaltó: no estaba sola.

En el cobertizo no entraba nada de luz, estaba totalmente oscuro. La luna ya estaba muy baja en el oeste, y el sol no había empezado a salir todavía.

Al principio tuve miedo de encender la linterna. Temía que Rainey viera luz en el cobertizo y sospechara algo. Pero a medida que aquellos ruidos aumentaban, no tuve elección. Necesitaba ver qué pasaba.

Giré un poco la mochila para llegar con la mano al bolsillo de delante, cosa que causó una nueva oleada de sonidos y movimiento. Era como si alguien estuviera barriendo el suelo con una enorme escoba. Bajé la cremallera del bolsillo. Más alboroto.

Me puse de espaldas a la puerta, a fin de ocultarle a Rainey lo que estaba a punto de hacer. Y acto seguido, encendí la linterna dirigiéndola hacia el suelo, a mis pies. A partir de ahí desplacé el haz de luz alrededor del cobertizo.

¡Aquello estaba repleto de serpientes! Las conté por docenas. Había serpientes de distintas especies y medidas, y todas se alejaron rápidamente para esconderse de la luz. ¡Uf, qué asco! Me eché tan hacia atrás, contra la puerta, que noté cómo los fajos de billetes se me clavaban en la espalda. Quería mantenerme lo más lejos posible de esas repugnantes criaturas.

Entonces, de repente, recordé lo que Jasper me había contado acerca de empezar un negocio relacionado con serpientes y lo que Susie le había oído decir sobre ir a cazar serpientes.

Las serpientes que vi en el cobertizo pertenecían a la especie más común y no eran venenosas. Aun así, tampoco eran el tipo de seres vivos con los que elegiría pasar la noche encerrada en un cobertizo. Y el día tampoco, por supuesto.

«¿Qué era peor», pensé, «estar atrapada en una cabaña con un montón de serpientes, o que Rainey se enterara de que yo estaba allí?»

Le envié un intenso mensaje telepático a Rainey para que se fuera del barco. ¡Coge la lancha motora! Le supliqué en silencio. ¡Por favor, márchate! ¡Vete a la ciudad, a Brasil! Donde sea... ¡Pero fuera de aquí!

Estiré el cuello y giré un poco la cabeza a mi alrededor. No me hacía ninguna gracia darle la espalda a aquella asamblea de reptiles. Por lo visto, o bien Rainey había captado mi mensaje, o bien su nerviosismo había llegado a un punto crítico. Bajó de nuevo a la cabina y luego volvió a subir a cubierta, cargado con las alforjas. Obviamente, no tenía ni la más remota idea de que, en realidad, estaba cargando una pila de periódicos.

—Vamos, vamos —susurré. Yo misma estaba al borde de sufrir una crisis nerviosa. ¡Tenía que salir de aquel maldito cobertizo!

Dirigí la linterna hacia el suelo otra vez, y mis amigas volvieron a enroscarse y a serpentear, moviéndose rápidamente hacia sus escondites. Me di la vuelta nuevamente y seguí observando a Rainey. Estaba tan ansiosa por irme de allí que ya tenía la mano encima del pomo de la puerta asiéndolo con fuerza.

Rainey apagó la luz de la cabina, lanzó las alforjas dentro de la lancha motora y saltó tras ellas.

El ruido del motor al arrancar no logró ensordecer el nuevo sonido que acababa de oír a mis espaldas. Esta vez no era el sonido inofensivo de la culebra común. Se trataba de un sonido que antes sólo había escuchado en el zoológico, y en otra ocasión, cuando estuve trabajando en un caso en el desierto de California. El eco de un sonido hueco, seco, como de un traqueteo vibrante, provenía del rincón más lejano del cobertizo. ¡Serpientes de cascabel!

Al ver alejarse la lancha, abrí la puerta de un tirón y salí disparada de allí tras dar un portazo tremendo. Luego bajé corriendo hasta el embarcadero y me metí de un salto en la barca. La llave aún estaba en el contacto. Le di la vuelta para arrancar el motor y... ¡sí! Maniobré con el timón para apartarme del muelle y empecé a remontar el río. Justo entonces, el tenue resplandor del amanecer, con sus tonos púrpura y dorado, comenzó a filtrarse entre los árboles que quedaban a mi derecha.

Mientras navegaba río arriba, tuve la impresión de que el camino de regreso hasta el primer embarcadero era mucho más largo que el de bajada. Eso se debió, principalmente, a que yo no estaba segura de dónde se encontraba exactamente aquel muelle. Además, como era tan pequeño y quedaba tan apartado, me metí en varios brazos del río sin salida antes de llegar a encontrarlo.

Amarré el barco de pesca y subí la colina en busca de mi bicicleta, que estaba a buen recaudo, oculta entre las ramas de la zarzamora donde la había dejado. Al llegar allí, me quité la mochila y me dejé caer al suelo. ¡Qué maravilla estar tumbada sobre la hierba, húmeda por el rocío de la mañana! Hacía tantas horas que no había podido ni sentarme que aquello me hizo sentir como nueva. Estiré todos los músculos y luego comí algo de fruta que encontré en las alforjas de la bici. Me quedaban pocas reservas de comida, y sabía que más adelante las necesitaría. Y aunque tenía mucha sed, sólo bebí un cuarto de botella. Por tanto, ahora disponía de una botella y cuarto para pasar el resto del día. Sin duda, aquella fue la mejor agua que he probado en mi vida.

Con las energías totalmente renovadas, me puse otra vez manos a la obra. Saqué el dinero de la mochila y fui depositándolo en las alforjas. Luego doblé la mochila vacía y también la metí en las alforjas.

Mientras me preparaba para emprender el retorno a River Heights, me fijé en el letrero de «SIN SALIDA» que había visto horas antes, cuando llegué por primera vez a esa colina. Me sorprendí a mí misma soltando una carcajada. Estar encerrada en un cobertizo lleno de serpientes no es nada agradable. Pero si, además, resulta que son de cascabel, entonces las palabras *sin salida* cobran un significado totalmente nuevo.

Me puse en pie, volví a hacer unos cuantos estiramientos y miré qué hora era. Poco más de las ocho. Según mis cálculos, debía de estar a unas tres horas del pueblo, así que, como mínimo, tardaría ese tiempo en llegar. Aunque, siendo realista, lo más probable era que tardara más, puesto que mi energía era más bien psíquica y emocional que física. De hecho, físicamente, me sentía exhausta. A pesar de ello, estaba decidida a cumplir mi objetivo: devolver el dinero a River Heights.

Llamar a mi equipo desde el lugar donde me encontraba no valía la pena; aquella zona estaba aún demasiado aislada, demasiado lejos del pueblo para que hubiera cobertura. Así pues, me coloqué el casco, monté en la bici y comencé a pedalear. Tenía muy claro lo que debía hacer a partir de ahora: no parar hasta llegar al banco y entregar allí el dinero. Preferiblemente, antes del final de la carrera.

El sol brillaba con fuerza y mi bicicleta estaba aumentando de temperatura. Para poder seguir, intentaba mantener mi mente ocupada. Pensaba en mi equipo y sentía cómo me apoyaban y daban ánimos, aunque ni siquiera supieran dónde me encontraba en esos momentos. Pensé también en la señora Mahoney, en el señor Holman y en todos los demás colaboradores; en la gente del pueblo que había donado dinero de forma tan altruista. Pensé en mi padre y en mi querida Hannah, y en lo orgullosos que se sentirían de que finalmente hubiera resuelto el caso. Pero, sobre todo, pensé en todas aquellas personas que se beneficiarían del dinero recaudado por la Fundación Abre tu Corazón.

Cada vez que tenía hambre, recurría a las pocas reservas que me quedaban, y me detuve ante un par de riachuelos para beber agua y refrescarme la cara.

Al fin llegué a la carretera donde tendría lugar el último relevo de la carrera. Ahora ya no podría volver a parar. Cuando ya casi estaba a la entrada del pueblo, me recompensé a mí misma con el último trago de agua y con la única barrita de cereales que me quedaba.

Noté cómo la adrenalina me subía a la cabeza mientras recorría Main Street. Ante mí, a ambos lados de la calle, aparecieron las tribunas llenas de seguidores entusiasmados. Mi padre y Hannah estaban en primera fila, justo al lado de la línea de meta. El hecho de constatar que mi padre había conseguido terminar su trabajo justo a tiempo para ver el final de la carrera me dio una nueva inyección de energía. En aquel momento, me vinieron a la mente imágenes de los distintos incidentes que habían tenido lugar durante ese largo fin de semana. Finalmente, concentré todas mis fuerzas en el último esprint y... ¡River Heights me recibió con un alud de aplausos y aclamaciones!

Sonreí y alcé los brazos para saludar a la multitud.

—¡Nancy! ¡Nancy!

Voces que me resultaban familiares me vitoreaban sin parar a medida que pedaleaba calle arriba hasta el banco. La señora Mahoney y el señor Holman, que al parecer había sido liberado, se acercaron corriendo a saludarme.

«¿Cómo podían saber que había logrado recuperar el dinero?», me pregunté. ¿Por qué estaba todo el mundo tan exaltado? Si yo todavía no le había dicho nada a nadie... Y entonces fue cuando me di cuenta de lo que había pasado: ¡la cinta de llegada colgaba sobre mis hombros!

14

Y EL GANADOR ES...

—¡Drew! ¡De ninguna manera!

Oí claramente la voz de Deirdre chillando a mis espaldas. Pedaleaba detrás de mí con su bicicleta. Un segundo después vi cómo se abalanzaba a propósito sobre mi bici. Las dos caímos al suelo.

Entonces ella se puso de pie de un salto y vino hacia mí. Esta vez su cara, tan pálida normalmente, estaba roja como un pimiento de la rabia.

—¡Nancy Drew! —comentó el señor Holman, interviniendo.

Apartó a Deirdre de un golpe, literalmente hablando, y a continuación me ayudó a levantarme del suelo.

—Es imposible que hayas ganado esta carrera, Drew —gritó de nuevo Deirdre, al tiempo que se abría paso a codazos entre la muchedumbre que se iba congregando a mi alrededor—. ¡Hasta ahora he sido la primera y no te he visto en ningún momento! ¡No puedes haber ganado terreno tan rápidamente ni haberme adelantado sin que yo me haya enterado! Seguro que has cogido un atajo. Eres una tramposa.

—No exactamente —repliqué, enderezando mi bici y recogiendo las alforjas—. Es cierto que me desvié del camino, pero te aseguro que no fui por un atajo, precisamente.

—Creo que deberías explicarte mejor, Nancy —me recomendó el señor Holman—. Me temo que la señorita Shannon tiene razón. El GPS de tu equipo dejó de dar señales hace un par de horas.

—Nancy Drew nunca haría trampas —dijo la señora Mahoney, acercándose a nosotros—. Estoy plenamente convencida de que ella podrá darnos una explicación para todo esto. ¿Verdad, Nancy?

—Así es, señora Mahoney —respondí con toda tranquilidad—. Señora Mahoney, señor Holman, ¿podría hablar con ustedes en privado, por favor? ¿Y podrían pedirle al inspector McGinnis que nos acompañe?

—Naturalmente, Nancy —contentó la señora Mahoney—. Vamos al banco, si te parece.

—¡Naaaancy! ¿Dónde estabas? —preguntó Bess a gritos y corriendo hacia mí. George y Ned venían detrás de ella.

—Yo estoy bien. ¿Y vosotros tres? —les pregunté inquieta—. Dice el señor Holman que los técnicos han dejado de recibir señales de nuestro GPS.

—¡Eso pregúntaselo a Deirdre! —exclamó George—. Estoy segura de que ella os lo podrá explicar, ¿no es así, DeDe?

—Aquí lo único que hay que aclarar es quién ha ganado esta carrera, Georgia —dijo Deirdre refunfuñando.

Uno de los hermanos Jensen estaba ahora junto a ella. Se parecían tanto entre sí que fui incapaz de saber si se trataba de Thad o de Evan.

Ned me apartó bruscamente de Deirdre y me dijo:

—Durante la carrera hemos tenido todo tipo de problemas, uno detrás de otro. Bess se estrelló con tu bicicleta en un traicionero tramo del trayecto porque estaba misteriosamente cubierto de una grava muy resbaladiza. Mi bici perdió la mitad de los piñones y George tuvo un extraño problema con la dirección que ni siquiera Bess pudo reparar. Estamos completamente seguros de que el equipo de Deirdre está detrás de todo esto. Pero, claro, no tenemos ninguna prueba. Quiero decir que sólo podemos demostrar que ellos fueron el único equipo que acampó cerca de nosotros ayer por la noche. De hecho, acabamos de informar a los jueces de la carrera de todas estas tretas.

—Ned, espera un segundo —le dije.

Entonces cogí una de las alforjas y, sin abrirla del todo, rebusqué con la mano en su interior. Enseguida encontré el medallón dorado con el signo de géminis. Lo saqué y me dirigí con toda naturalidad hacia donde estaban Bess, George, Deirdre y uno de los dos Jensen, el que fuera.

—¿Y ahora, qué? —me soltó Deirdre—. Si crees que vas a convencer a los jueces de que no somos los legítimos vencedores, lo llevas claro, guapa.

—Bueno, yo sólo venía a hacerle una pregunta a tu compañero de equipo.

Le mostré el medallón al gemelo Jensen.

—¿Puede ser que esto sea tuyo, por casualidad? Dijiste que eras géminis, y pensé que...

Alargó la mano para coger el medallón nada más verlo, y luego me interrumpió:

—¿Dónde lo has encontrado? —me preguntó—. Lo he buscado por todas partes.

Muy bien, era obvio que había reconocido el medallón.

—Qué curioso, porque resulta que estaba bajo el asiento del coche de Ned —le contesté con una sonrisa.

—Entonces seguro que no es tuyo, Thad —intervino Deirdre, fulminando a su compañero con la mirada—. ¿Verdad que no, Thad?

Thad la miró un poco desconcertado. Retiró la mano rápidamente y murmuró, de forma casi inaudible:

—No, supongo que tienes razón.

—No sé qué es lo que pretendes —me dijo Deirdre, frunciendo el ceño—, pero no vas a salirte con la tuya. Vámonos de aquí, Thad.

Deirdre se dio la vuelta y los dos se marcharon juntos.

—¿Y qué hay del dinero, Nancy? ¿Pudiste encontrarlo? —me preguntó Bess.

—Todo en orden —respondí con una sonrisa de satisfacción y acariciando las alforjas.

—¿Lo tienes? —exclamó Ned, mirándome a los ojos—. ¡Eres increíble!

—¡Ssssh! No se os ocurra decir nada —les advertí—. Mucha gente ni siquiera se ha llegado a enterar de que había desaparecido. Y ahora tampoco se enterarán de que ha sido recuperado.

Yo no podía quitarles el ojo de encima a Deirdre y a Thad. Ella le había llevado hasta el parque que hay frente al banco, y le había obligado a sentarse en el banco de madera que hay junto al pilón para pájaros. De hecho, estaban en el mismo banco donde Luther y yo nos habíamos encontrado por casualidad el día anterior. Deirdre no parecía estar de muy buen humor, y le estaba cantando las cuarenta a Thad. Mientras les observaba, oí cómo un locutor informaba a la gente de que se anunciaría el nombre del equipo ganador de un momento a otro, y pedía por favor que, mientras tanto, tuvieran paciencia.

Le di a Ned las alforjas, y le dije:

—Id los tres al banco, y decidle a la señora Mahoney y a los otros que yo vendré enseguida.

Ned, Bess y George se fueron al banco con el inspector McGinnis, el señor Holman y la señora Mahoney. Yo me encaminé hacia el parque. Había mucha gente por aquella zona, y por eso no pudieron verme. Una vez en el parque, me agaché detrás de un arbusto muy alto. Deirdre estaba sentada junto a Thad en el banco, de espaldas a mí, y yo me encontraba tan sólo a unos metros de ellos. Apenas podía verles entre el ramaje, pero escuché la conversación que mantuvieron, palabra por palabra.

—Pero, ¿cómo puedes ser tan estúpido? —le increpó Deirdre—. ¿No ves que Nancy intentaba tenderte una trampa? ¡Y tú vas y casi caes de cuatro patas!

—Oye —le replicó Thad—, ya te he dicho que ese medallón es importante para mí. Es un regalo de un amigo muy especial.

—¡Y a mí qué más me da! —comentó entonces Deirdre entre dientes—. El plan inicial era hacerles unas cuantas trastadas durante la competición para impedirles ganar: ruedas pinchadas, gravilla rociada con aceite, dirección desestabilizada... Todo comprobado de antemano y absolutamente efectivo. Os dije, incluso, que podíais ponerles un poco nerviosos estropeando la bici de Ned la noche antes de la carrera.

—Y eso fue lo que hicimos —afirmó Thad con orgullo—. Justo allí, en el mismo campus de la universidad y

153

a plena luz del día. Uno de nosotros hizo guardia, el otro cortó la cadena.

—No hables tan alto —le dijo ella bajando la voz—. Ya os lo dije en su momento, y os lo repito ahora, precipitar el coche al arroyo fue un error. Fuisteis demasiado lejos.

—No pudimos resistirnos —musitó Thad—. Cuando volvíamos al pueblo, vimos su coche allí aparcado. ¡Era tan fácil hacerlo! Además, nosotros no despeñamos el coche. Yo lo único que hice fue quitar el freno de mano. El coche se despeñó solo.

—Muy gracioso, Thad —dijo Deirdre con sarcasmo—. Te lo advierto. Olvídate de ese dichoso medallón y calla la boca. Ah, y diles a tu hermano y a Malcolm que hagan lo mismo.

Deirdre se levantó, se dio la vuelta y se dirigió de nuevo hacia la zona de la línea de meta. Pasó tan cerca del arbusto detrás del que yo estaba escondida, que me tapé la boca y la nariz con la mano para que no me oyera respirar. Esperé un poco, hasta que Thad la siguió. Y luego, rodeando a la multitud de gente concentrada allí, me fui hacia el banco.

En el banco, la señora Mahoney, el inspector de policía McGinnis, el señor Holman y mis amigos me estaban esperando.

Les conté detalladamente todo lo que había sucedido desde la una del mediodía del día anterior. Acto seguido, les entregué el dinero.

La reacción de todos fue de júbilo y, ciertamente, de alivio. Todos me felicitaron enseguida y me hicieron un montón de preguntas.

—Todavía me cuesta creer que el agente Rainey haya

hecho algo así, estoy tan sorprendida... Nunca lo hubiese dicho —se lamentó la señora Mahoney.

—Al formar parte del equipo de seguridad, tenía acceso al dinero, y debió de sustituir los billetes por periódicos viejos cuando nadie le estaba mirando —señalé yo—. Cuando se le averió el coche, le reclamó la bicicleta a su hermano y escondió el dinero en las alforjas. Era el camuflaje ideal para esfumarse del pueblo: ser un ciclista más el día de la carrera.

Lógicamente, la señora Mahoney y el señor Holman estaban encantados de que el dinero hubiera aparecido de nuevo. El señor Holman me estrechó la mano tan fuerte que me estrujó los dedos. Y la señora Mahoney me rodeó con sus brazos en un caluroso abrazo, impregnado de su sofisticado perfume.

El inspector McGinnis se mantuvo a una cierta distancia. Y, aunque un poco a regañadientes, asintió con la cabeza en señal de aprobación. Pensé que sería mejor halagarle un poco, ya que no quería perderle como fuente de información.

—Inspector, quizá querrá usted hablar con Jasper Rainey —le dije—. Yo creo que no estuvo involucrado en el robo con su hermano, pero como usted es un as de los interrogatorios, estoy segura de que conseguirá que le cuente la verdad.

El jefe de policía asintió de nuevo con la cabeza y me dedicó una de sus extrañas sonrisas.

—Gracias, Nancy, ya lo he hecho. Jasper no tuvo nada que ver. Su coartada es infalible.

Luego, dando una mirada de agradecimiento a Bess, George y Ned, dije:

—Mis compañeros de equipo han hecho un gran sacrificio a fin de que yo pudiera recuperar el dinero. Por eso debo reconocer que gran parte del mérito es suyo.

—En mi opinión —comentó el señor Holman—, se merecen un reconocimiento mucho mayor. Técnicamente, tú has sido la primera en cruzar la línea de llegada, Nancy. Por tanto, yo estaría más que dispuesto a declarar a tu equipo vencedor de la carrera. Sin duda, todo el mundo estará de acuerdo conmigo en cuanto sepan toda la historia.

—Todo el mundo, excepto Deirdre Shannon —protestó George—. Si supieseis cómo...

—George —la interrumpí—, tenemos que hablar.

Entonces quise convocar una pequeña reunión de equipo, ya que los cuatro teníamos que ponernos de acuerdo sobre si debíamos ser declarados los ganadores o no.

Mientras la señora Mahoney y el señor Holman depositaban el dinero en la caja fuerte, yo conduje a George, Bess y Ned a un rincón de la sala principal del banco. El inspector McGinnis, entretanto, hacía unas cuantas llamadas a sus colegas de la capital para comunicarles que arrestaran al agente Rainey. A través de la ventana, vi cómo los demás equipos iban cruzando la línea de meta.

—Nancy, tenemos que contarles todo lo que nos ha hecho Deirdre —dijo Bess—. Si no, no sería justo. No estoy diciendo que nosotros seamos los vencedores, pero su equipo tampoco debería serlo. No después de dos días de sabotajes y malas jugadas. Aunque, claro, ya sé que no tenemos pruebas...

Les expliqué que había seguido a Deirdre y a Thad hasta el parque y que allí les había escuchado furtivamente.

Les reproduje, con todos los pormenores, el rapapolvo que Deirdre le había soltado a Thad.

—Ya, pero está claro que no hemos ganado —se quejó George—. Nancy, tú ni siquiera corriste un solo relevo. Quizá podríamos proponer que se declare vencedor al equipo que llegó después del equipo de Deirdre.

—Un momento —dije, de repente—. ¿Cuál es el objetivo principal de esta carrera?

—Recaudar el máximo dinero para la fundación benéfica Abre tu Corazón —respondió Bess inmediatamente.

—Exacto —afirmé—. ¿Y no dijo Deirdre que su padre se había comprometido a añadir al total una donación extra de mil dólares si su hija ganaba la competición? Pues bien, tenemos dos opciones: o dejar que ella reciba el yunque dorado y la Fundación obtenga mil dólares más para su causa, o bien...

—De acuerdo, de acuerdo —accedió George—. Tienes razón. Al fin y al cabo la fundación se llama Abre tu Corazón.

Tras decir esto, George alargó el brazo y todos unimos nuestras manos y levantamos los brazos al aire por última vez este año.

Regresamos al lugar donde estaba la señora Mahoney y le anunciamos nuestra decisión.

—Una solución maravillosa —exclamó emocionada la señora Mahoney—. ¡Muchísimas gracias, muchachos!

—Veo que el señor Holman ya ha salido de la cárcel. ¿Está todo en orden?

—¡Por supuesto! —me contestó la señora Mahoney—. Al final, se ha aclarado todo y le han absuelto de todos los cargos.

La señora Mahoney nos sonrió afectuosamente a mi equipo y a mí, y luego dijo:

—¿Qué hubiésemos hecho sin ti, Nancy? Ahora, gracias a vosotros, ¡todos salimos ganando!

—Excepto el agente Rainey —puntualizó Ned—. Él ha perdido, y mucho.

—¡Bien merecido lo tiene! —dije yo—. Seguro que tendrá tiempo de sobra para leer todos esos periódicos... ¡en la cárcel!

Después de reírnos un buen rato, nos dirigimos de nuevo a Main Street y nos sumamos a las celebraciones del final de la carrera.

BiPiP